JN023739

IOO LETTERS that Changed the World

世界を変えた100の手紙

ライト兄弟からタイタニック号の乗客、スノーデンまで

コリン・ソルター［著］
Colin Salter
伊藤はるみ［訳］
Harumi Ito

原書房

世界を変えた
100の手紙

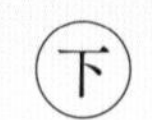

ライト兄弟からタイタニック号の乗客、
スノーデンまで

原書房

[目次]

[上巻目次]

051

ウィルバーとオーヴィルのライト兄弟が父のミルトン・ライト牧師に知らせを送る

［1903年12月17日］

1903年12月17日、ある兄弟が同胞教会の牧師(監督)である父親にまさに大ニュースの名にふさわしい知らせを送った。一刻も早く父親に知らせたかったニュースだった。彼らの快挙は世界をそれまでよりずっとせまく、そして人類の夢をそれまでよりずっと大きく広げるものだった。

ニュースは電報ですばやく届けられたが、それまでに費やした時間は途方もなく長かった。兄弟は1896年から飛行機の設計に取りくんでいた。カエデのタネのようにくるくる旋回しながら飛んで行くおもちゃを幼い兄弟に与え、彼らが飛行機に熱中するきっかけを作った父親ミルトンの功績は大いに称えられるべきだろう。

ウィルバーとオーヴィルはまず凧を作って揚げることから始め、つぎにグライダーに進んだ。飛行機の設計だけにとどまらず、その動きを自在に制御するコントロールシステムにも着目し、理想的な飛行をするには——進路変更するときでさえ——常に水平をたもつべきだという従来の考え方を捨て、曲がるときには機体を傾けるほうがいいと考えて、それに合わせて翼の形を変えた。これは現在の飛行機の固定した翼にフラップが付いているのと同じ原理だ。

しかし、ふたりが動力つきの飛行機の開発に着手したのは1903年の初めになってからだった。彼らは自分たちの自転車屋で売っていたオリジナル自転車につけていたエンジン機構を使い、プロペラについては設計理論がまだ定まっていなかったので、自分たちで独自に設計した。そのプロペラをつけて行った風洞実験の結果は、効率75パーセントという初めてにしては上々の数字が出た。

飛行機の設計には存分に発揮される彼らの想像力も、初めての動力付き飛行機の命名には発揮されなかったようで、彼らの1号機は単に「フライ

Form No. 168.

THE WESTERN UNION TELEGRAPH COMPANY.

INCORPORATED

23,000 OFFICES IN AMERICA. CABLE SERVICE TO ALL THE WORLD.

This Company TRANSMITS and DELIVERS messages only on conditions limiting its liability, which have been assented to by the sender of the following message. Errors can be guarded against only by repeating a message back to the sending station for comparison, and the Company will not hold itself liable for errors or delays in transmission or delivery of Unrepeated Messages, beyond the amount of tolls paid thereon, nor in any case where the claim is not presented in writing within sixty days after the message is filed with the Company for transmission.

This is an UNREPEATED MESSAGE, and is delivered by request of the sender, under the conditions named above.

ROBERT C. CLOWRY, President and General Manager.

RECEIVED at

176 C KA CS 33 Paid. Via Norfolk Va

Kitty Hawk N C Dec 17

Bishop M Wright

7 Hawthorne St

Success four flights thursday morning all against twenty one mile wind started from Level with engine power alone average speed through air thirty one miles longest 57 seconds inform Press home ~~Christmas~~ Christmas . Orevelle Wright 525P

［上］初飛行で12秒間、36.5メートル飛んだときの写真。パイロットのオーヴィル・ライトは下翼の上に腹ばいになって操縦している。ウィルバーは翼に手を添えてバランスを保ちながら並走していたが、右翼に添えていた手をちょうど離したところだ。［下］歴史に残る初飛行の成功を告げる電文。

1904年、オハイオ州デイトンのハフマンプレーリーで、フライヤー2号の前に立つライト兄弟。

ャー」と名づけられた。初の試験飛行は12月14日月曜日に行われた。そのときは3秒間飛んだだけで牛小屋に突っこむ結果となって、成功とは言えないまでも、彼らは大いに勇気づけられた。まったく偶然ではあるが、12月14日という日付は、121年前にフランスのモンゴルフィエ兄弟が熱気球による初飛行に成功したのと同じ日付だった。

その3日後、ライト兄弟はノースカロライナ州キティホークで、5人の見物人が見まもる中で4回の試験飛行を行った。その5人の内訳は地元のビジネスマンがひとり、地元の水難救助隊員が3人と、たまたま散歩していた10代の少年ジョニー・ムーアだった。4回目の飛行が終わったとき、突風が吹いてフライヤー号はひっくり返り、修理不能となった。そのため二度と飛ぶことはなかったが、やるべき仕事はやり遂げたのである。

1903年12月17日、彼らはついに動力飛行機による世界初の飛行を成しとげたのだ。電報は句読点ひとつにも代金がかかるということで、ライト兄弟が人類初の偉業の成功を知らせた電報はおよそ次のようなものだった。

> 「木曜朝4回向風秒速9.4メートル飛行成功平地からエンジン動力だけ最高記録向風秒速14メートル57秒間260メートル飛行成功新聞に連絡クリスマス帰宅」

052

ジョン・ミューアがセオドア(テディ)・ローズベルト大統領にヨセミテ渓谷の自然破壊に関して善処を求める

[1907年9月9日]

アメリカのナチュラリスト(自然愛好家)ジョン・ミューアとローズベルト大統領は、1903年にヨセミテ渓谷の私的なキャンプ旅行で知りあい、親しくなった。1907年、ヨセミテ国立公園の一部に開発の脅威が迫ったとき、ミューアはヨセミテの自然を保護するために力を貸してほしいと、ローズベルトに熱のこもった手紙を書いた。

ミューアが大統領を誘ってキャンプに行ったのは、彼が愛してやまないヨセミテ渓谷をヨセミテ国立公園に組みいれ、州の保護ではなく国の保護を受けられるようにしてほしいと訴えるためだった。ローズベルトはヨセミテ渓谷を大いに気に入り、とくにテントで目覚めた朝、あたり一面が真っ白な雪で覆われていたときにはすっかり魅せられてしまった。1906年、大統領はヨセミテ渓谷を国立公園に組みいれるための法案に署名した。

その同じ年、サンフランシスコ近郊を壊滅的な大地震がおそった。地震のあとに火事が起こり、からくも地震の被害を免れた所までが焼失してしまった。それほどの被害が出たのは、火事を鎮めるための水が不足していたからだった。そこで1907年になって、水不足を解消するためにヨセミテ北西部のハッチハッチー渓谷にダムを造る計画がもちあがる。

ミューアはぞっとした。1890年のヨセミテ国立公園の誕生にはミューアも大きくかかわっており、スコットランドから移住してきてサンフランシスコに住みつき、何十年もその地の地質と植物について研究してきた彼にとって、そこは聖地ともいうべき場所だった。彼は流れる水の音を聞き

The most abundant and influential are the great Yellow pines, the tallest over 200 feet in height, and the oaks with massive rugged trunks four to six or seven feet in diameter, and broad heads, assembled in magnificent groves. The shrubs forming conspicuous flowery clumps and tangles are Manzanita, Azalea, Spiraea, Brier-rose, Ceanothus, Calycanthus, Philadelphus, Wild cherry, etc; with abundance of showy and fragrant herbaceous plants growing about them or out in the open in beds by themselves - Lilies, Mariposa tulips, Brodiaeas, Orchids - several species of each, Iris, Spraguea, Draperia, Collomia, Collinsia, Castilleia, Nemophilia, Larkspur, Columbine, Goldenrods, Sunflowers and Mints of many species, Honeysuckle etc etc. Many fine ferns dwell here also, especially the beautiful and interesting rock-ferns, - Pellaea, and Cheilanthes of several species, - fringing and rosetting dry rock piles and ledges; Woodwardia and Asplenium on damp spots with fronds six or seven feet high, the delicate Maidenhair in mossy nooks by the falls, and the sturdy broad-shouldered Pteris beneath the oaks and pines.

It appears therefore that Hetch Hetchy Valley far from being a plain common rock-bound meadow, as many who have not seen it seem to suppose, is a grand landscape garden, one of Nature's rarest and most precious mountain mansions. As in Yosemite the sublime rocks of its walls seem to the Nature lover to glow with life whether leaning back in repose or standing erect in thoughtful attitudes giving welcome to storms and calms alike. And how softly these mountain rocks are adorned, and how fine and reassuring the company they keep - their brows in the sky, their feet set in groves and gay emerald meadows, a thousand flowers leaning confidingly against their adamantine bosses, while birds bees butterflies help the river and waterfalls to stir all the air into music - things frail and fleeting and types of permanence meeting here and blending as if into this glorious mountain temple Nature had gathered her choicest treasures, whether great or small to draw her lovers into close confiding communion with her.

John Muir

ジョン・ミューアが詩情を尽くして訴えた願いは聞き入れられなかった。

ながら暮らせるようにヨセミテクリークと呼ばれる小さな川に突きだした場所に小屋を建て、2年間住んでいた。言葉にはスコットランドなまりが少し残っているものの、ヨセミテこそが彼の心のふるさとだった。

1903年にヨセミテ渓谷を展望できるグレイシャーポイントに立つセオドア・ローズベルト大統領とジョン・ミューア。ミューアが1890年から訴えていたヨセミテ渓谷の国立公園化は1906年に実現した。スコットランド生まれの自然愛好家ミューアは、現在サンフランシスコの北に広がる広大な森林ミューア・ウッズ・ナショナル・モニュメントにその名を残している。

彼がローズベルト大統領に宛てた手紙はまさに心の叫びだった。「どうか、ヨセミテ国立公園がすべてのコマーシャリズムから保護され、その素晴らしい景観と自然環境を心ゆくまで楽しむために必要な道路やホテルを整備する以外はいっさい人の手を加えられることがないようにしていただきたい……あの滝や木立や快適なキャンプ場は、ヨセミテ[渓谷]にあるからこそすばらしいのです」と彼は前置きもせず、いきなり訴えた。

彼は、ダムを作ってヨセミテ川をせき止めるなどということは自然を破壊する暴力的行為以外の何ものでもないと訴え「必要な水は国立公園外の水源から引くことができるはずです」と主張した。そしてハッチハッチー渓谷なら犠牲にしてもいいという議論は「実にまったくもって傲慢かつ無知な発言だ」と言いきった。

見方によっては、この手紙は驚くようなものではなかった。渓谷の保護を主張する筋のとおった2ページの手紙だった。だがそれには、ミューア自身がその場所にしかない地質学的価値、植物学的価値を4ページにわたり解説した文書が添えられていたのだ。それはミューアがハッチハッチーに捧げた賛歌だった。

ある意味でそれは、ハッチハッチー渓谷の岩や山や水や植物や気候の列挙にすぎなかった。しかしそれはじつに詩的で愛情あふれる表現で書かれ、その場から遠く離れていてさえ、その先に起こることを哀惜せずにはいられない文章だった。「空気、水、陽光が魂の衣に織りこまれ……その水晶のように澄んだ川や荘厳な岩や滝ばかりでなく、草原や湿原や花畑に織りこまれ……。この輝かしい山の神殿に、造化の女神は彼女が選び抜いた宝物を集め、彼女を愛する者たちを親しく招きよせるのだ」

ハッチハッチー渓谷を守ろうとする環境保護論者たちとの7年に及ぶ論戦の末、1914年初頭からハッチハッチー渓谷のいちばん狭くなった地点にオショーネシーダム（主任技術者の名前にちなんだ名称）の建設工事が始まった。自然保護のための数々の戦いに勝利し、最後の戦いにだけ敗れたジョン・ミューアは、その年の終わりに死去した。ダムは完成し、1923年5月にハッチハッチー渓谷は水没した。

053

ルイス・ウィックス・ハインが全国児童労働委員会に報告書を提出する

[1909年7月]

第一次世界大戦前のアメリカ経済は急拡大していた。より多くの従業員が必要になった工場主たちは、人件費を抑制するために貧しい移民労働者だけでなく、小さな子どもまで雇用するようになった。ひとりの男が写真を撮り、実情を訴え続けることで多くのアメリカ人がその事実を知ることになる。

全国児童労働委員会(NCLC)は1904年に設立された団体である。その20年ほど前から成人が行うべき厳しい労働に従事する12歳以下の児童の数が急激に増加しており、その問題を解決することを目的としていた。1900年にはアメリカの児童の6人にひとりが家庭の収入を補うためにわずかばかりの給料で働き、子どもらしい経験をしたり教育を受けたりする機会を奪われていた。

その当時、ルイス・ハインはニューヨークで社会学を教えていた。写真は現実の出来事や状況を記録するだけでなく、それらを単なる言葉よりはるかに雄弁に世間の人々に知らせることができると彼は考えた。そして、まずエリス島に着いた移民の写真を撮ることから始めた。1908年にはNCLCと契約し、貧困という落とし穴から抜けだせない両親が子どもの給料をあてにせざるを得ない実情を世間に知らせるために、ドキュメンタリー写真を撮った。

1909年に彼がNCLCに提出した手紙にはそうした写真の何枚かが添えられていた。それはメリーランド州の缶詰工場における若年労働者の実態――まだ幼い子どもまで働いている――を示す暗然とするような報告だっ

canneries, to have the children get their jobs first and then have them apply for permits. (The weakness of this system is obvious) A working woman told Miss Rife that one cannery requires no permits and that there are lots of children there.

There are several dangers connected with this work when x children do it. On every hand, one can see little tots toting boxes or pans full of beans, berries or tomatoes, and it is self-evident that the work is too hard. Then there are machines which no young persons should be working around. Unguarded belts, wheels, cogs and the like are a xxx menace to careless children. See photos 858 to 860.

In the fields convenient to Baltimore in Anne Arundel County, and on Rock Creek and Stony Creek, children are employed as a matter of course. I investigated a number of farms on Rock Creek (and am convinced that we have been too lenient with the "agricultural pursuits.") (In the firt place,) the long hours xf these children work ixx in the hot sun and in company, too often, with foul-mouthed negroes and whites more than compensates many times over for the boasted advantages of fresh air and country life. The living conditions in the shacks they occupy are not only harmful in physical ways, but the total lack of privacy where several families live in one room is extremely bad. One mother told me "it is bad for the children. They get to know too much." There is little rest for the children in these crowded shacks. (See photos 846 to 852) I admit that it is a big problem for these parents to handle, but with the right kind of help, it can be done. There were, on these farms on Rock

ルイス・ウィックス・ハインがNCLCに提出した報告書の一部。

た。「家族の大人と一緒になって働く彼らの幼い手のなんと小さいことか、幼すぎて椅子にすわって作業できない子は大人の膝にのって作業していた。近くに置いた箱に入れられて作業する子もあった」。会社のバラックで暮らす両親は、そこに子どもを置いて出勤することを許されていなかった。「どちらを向いても、豆やベリーやトマトの入った箱や平皿の中身をすくう幼い子どもが目に入る。それが彼らにはとても無理な仕事なのは明らかだ」

この子どもたちは普通より早く大人びる。「嫌でも大人の世界を知ってしまう」――「みだらな話をする白人や黒人といつも一緒にいる」のだから。缶詰製造の時期が終わると、そこで働いていた労働者一家は南北カロライナ州まで移動して海産物のカキの箱詰めをする。どこへ行ってもひどい扱いを受けることに変わりはない——食費と住居費は給料から天引きされ、残った給料も会社が経営する店の値段の高い品物を買わされて消えてしまう。仕事の記録はいいようにごまかされて、実際に働いた時間より少なく計算され、支払われるべき金額の給料はもらえない。

ハインがインタビューした労働者たちは、悲惨な状況を証言している。ある女性は1歳、3歳、6歳、8歳、9歳の子どもがいて、1歳の赤ん坊以外は全員が働かされていた。みんな午前3時に監督に起こされ、それから午後4時まで働くのだ。「奴隷制度はなくなったというが、今のほうがもっとひどい」と語った労働者もいた。

工場の経営者は当然ながら、年齢にかかわらず従業員の待遇を外部の人間に知られたくない。だからハインのようなことをすれば威嚇や脅迫を受けることになる。そこで聖書のセールスマンのふりをしたり、工場の機械類の写真を撮りたいという口実を使ったりすることもあった。そのようにして撮影した写真によって工場における若年労働者の実態が明らかになったおかげで、1912年にタフト大統領がアメリカ児童局を創設し、NCLCとしても初の大きな成果を上げることができたのである。

児童局の役割は「いくつかの州および地域における幼児の死亡率や死亡原因、出生率、孤児の実態、少年裁判所の問題、児童の事故や疾病の原因と対策、児童の雇用問題、児童に関する法律などに関する調査を行うこと」である。この組織は今も存在し、残念ながら今も社会にはびこるさまざまな形の児童虐待と戦っている。ルイス・ハインのような人物の仕事はまだ終わりそうもない。

ハインはこの写真に「ジョージア州オーガスタのグローブ紡績工場で働く少女。監督は彼女が常勤の労働者であることを認めている」というキャプションをつけている。

054

スコット隊長は「私たちは南極点に達した。そして紳士らしく死ぬ」と書き残す

[1912年3月16日]

南極点からの帰路に広大なロス棚氷の上で遭難し、死が迫っていることを悟ったスコットは、自分の遺体とともに発見されることを願いながら何通かの手紙を書いた。そのうちの1通は不幸な結末を迎えた彼の南極遠征に、資金面で協力してくれたエドガー・スパイヤー卿宛てだった。

エドガー・スパイヤー卿はドイツ系ユダヤ人の血を引くアメリカ人だったが、イギリス国民となった人物である。各種の経済活動にくわえて芸術家の支援も行い、作曲家エルガーやドビュッシーと親しく、有名なロンドンのプロムナードコンサートのスポンサーでもあり、その功績によりナイトの称号を得ていた。

探検家ロバート・ファルコン・スコットの探検隊は不安定な天候の中、南極点一番乗りの名誉を逃したまま、祖国へ帰還するための約1300キロの旅を敢行していた。彼らは南極点に1月17日に到達したが、ノルウェーのアムンゼンが率いる探検隊が1か月以上前にそこに着いていたことを知ったのだ。基地にもどるまでにはまだ240キロ進む必要があった。迎えの犬ぞりと落ちあうはずだった場所は視界が悪く、待ち合わせに失敗してしまった。食糧が底をつきかけていたので、いつまでも犬ぞりの到着を待つ余裕はなかった。

スコット隊長は「来年私たちが発見されればそのうちに宛先に届くかもしれないので、たくさんの友人に手紙を書いておこうと思います」とエドガー卿宛ての手紙に書いている。エドガー卿はスコットの最後の極地探検

南極探検隊が最後に撮った写真の1枚。ロバート・ファルコン・スコットは中央に立っている。

のための資金集めに協力した人物だった。スコットには、生きのびる望みがないことがわかっていた。「私たちが命を落とすことでこの探検が悪い印象を残してしまうことが心配です——しかし私たちは南極点に到達しました。そして紳士らしく死ぬつもりです」

それまでに成しとげた探検ですでに国民的英雄となっていたスコットは、イギリス海軍軍人としての美質をすべて備えた紳士の典型と見なされていた。弱々しい筆跡で日記帳のページに彼は「もしこの日記帳が発見されれば、仲間が死にゆく中で身動きがとれなくなり、それでも最後まで雄々しく生きたことを——豪胆な精神と忍耐力を決して失わなかったことを、わかっていただけると信じます」と書いている。これは困難な時にも唇を固く引き結び、絶対に弱音をはかない典型的なイギリス人の態度だった。足に凍傷ができたせいで仲間の生きるチャンスを奪っていると感じたオーツ隊員が「ちょっと外に出てくる。しばらく帰らないかもしれない」と言って雪の降る中に出て行き、そのまま戻らなかったのも同じ心意気だったに違いない。

スコットはいかにも彼らしく、なんでもないことのような調子で「もう少しでうまくいったのに。[待ち合わせの犬たちを]見逃したのは残念でした」と書き、イギリス紳士らしく、こうなったのはすべて自分の責任だとする。「ほかの誰も責めを負う必要はありません。援助が不足していたせいだなどと責めるのも間違いです」

この手紙でもその他の手紙でも、彼は隊員たちの残された家族のことをとても心配している。しかし自分の家族については「私の妻と子どものことも気がかりだが、妻はとてもしっかりした女性だ。国にたよらなくても

we shall stick it out
to the end but we
are getting weaker of
course and the end
cannot be far.
It seems a pity but
I do not think I can
write more —
R. Scott
Last Entry —
For Gods sake look
after our people

生きて帰ることは不可能だと悟ったスコットは、亡くなる前に8通の手紙を書いた。海軍のフランシス・ブリッジマン提督には「悪筆をお許しください。ここはマイナス40度です。ほぼ1か月間こうです」と書いた。これが彼の日記帳に書かれた最後の手紙だった。

息子の教育と将来は大丈夫だろう」と書いていた。手紙を書いたあとも、生き残った隊員たちはさらに30キロ以上進んだが、そこでブリザードに襲われてテントから出られなくなった。そのテントの中で、スコットは妻に宛てた最後の手紙を書き「できたら息子には博物学への興味をもたせてやってほしい。そのほうが気晴らしの遊びよりずっといいと思う」と伝えた。スコットの息子ピーターは父親が亡くなったときはまだ2歳だったが、成長して世界的に有名な博物学者になり、世界自然保護基金(WWF)の創立者のひとりに名をつらねた。

1912年3月29日、探検隊の中で最後まで生きていたロバート・スコットもついに死亡した。エドガー・スパイヤー卿は第一次世界大戦が始まってイギリス国内に反ドイツ感情が高まったのをきっかけに公職から身を引き、1915年アメリカにもどった。彼の手元にあったスコットからの手紙は2012年3月30日、くしくもスコットが死去してからちょうど100年後にオークションに出品され、21万3500ドルで落札された。

055

タイタニック号の乗客が書いた最後の手紙は送られなかった

［1912年4月13日］

イギリスのホワイトスター社所有の客船タイタニック号に関する遺品の魅力は、今も色あせていないようだ。冷たい海で命を落とした犠牲者のひとりにアレクサンダー・オスカー・ホルバーソンという人物がいた。タイタニックとともに海底に沈んでいた彼の遺体から発見された札入れの中にあった手紙は2017年にオークションにかけられ、16万6000ドルで落札された。

ホルバーソンはノルウェーからミネソタに移民した人物で、クルエット・ピーボディ社の優秀な巡回セールスマンだった。クルエット・ピーボディ社はARROWブランドのシャツで有名であり、創業者のひとりサンフォード・L・クルエットが発明した布の段階で防縮加工をほどこす技術は今も使われている。

オスカーは、ペンシルバニア出身で彼より7歳年下のメアリー・アリス・タウナーと結婚した。子どもはなく、優秀な販売成績の報奨として1911年から1912年にかけて長期休暇を与えられていた。オスカーとメアリーはまずブエノスアイレスへ行き、次にロンドンへ行った。そして1912年4月10日、ふたりはニューヨークに帰るためにタイタニックに乗った。その翌日、彼は手紙を書いた。これまでに発見された中では、これがタイタニックの乗客が最後に書いた手紙である。「愛するお母さんへ」と始まるその手紙には「ロンドンでは好天にめぐまれました。今イギリスは緑におおわれてとても美しい季節です」と続いていた。

オスカーはタイタニック号に大満足だった。「この船はとても大きく

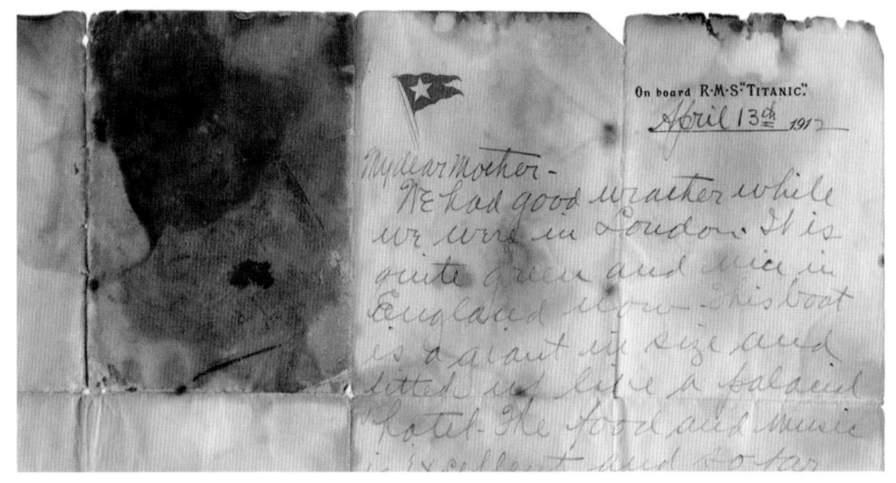
On board R·M·S· "TITANIC."
April 13th 1912

My dear Mother -
We had good weather while we were in London. It is quite green and nice in England now. This boat is a giant in size and fitted up like a palacial hotel. The food and music is excellent and so far

海水の汚れがしみついたオスカー・ホルバーソンの手紙。

て、まるで豪華ホテルのようです。料理も音楽も最高です」と書いた彼は有名人や大富豪たちと同じ場所にいることに興奮し、当時世界で一、二を争う大富豪ジョン・ジェイコブ・アスターも乗っていると知らせて「何百万ドルももっている大金持ちなのに、見た目はまったく普通の人で、私たちと同じようにデッキに出て椅子にすわっています」と書いている。

発見された手紙は驚くほど良い状態だった。インクは薄くなっていたが、にじんではいない。浮き出し印刷されたホワイトスター社の青色のレターヘッドには「RMSタイタニックにて」の文字があり、中央に白い星を染め抜いた赤い旗が風にはためくマークがすべてのページの左上に見られる。

オスカーがこの手紙を書いたのは、その後の彼らの予定を母に知らせるためだった。「何も起こらなければ私たちは水曜日にニューヨークに着きます」と彼は書いていた。しかし1912年4月15日になったばかりの早い時間にタイタニックは氷山に衝突し、1522人——オスカーもアスターも含まれている——の命とともに海に沈んでしまった。「女性と子どもを優先する」原則にしたがって救命ボートに乗ったアリスは生き残った。

オスカーの札入れに入ったまま投函されることのなかった手紙も、海水による汚れはあるものの十分読みとれる状態で残った。そして2017年に売りに出されるまでは、オスカーの母が彼の兄弟ウォルターに宛てた哀切な手紙とともに、家族に代々受けつがれていた。母の手紙は「私の愛する息子オスカーに何が起こったかは、あなたも新聞で読んでいることと思います。私たちみんなが驚き悲しみました。彼がいなくなって、もう二度とこの世で会えないなんて」と始まっている。

それでもオスカーの母は「でも、彼はどこかにいる。もう彼と別れることは二度とない。そう思えばいいのよ。私はそう願い、そう祈っています」と自分をなぐさめていた。

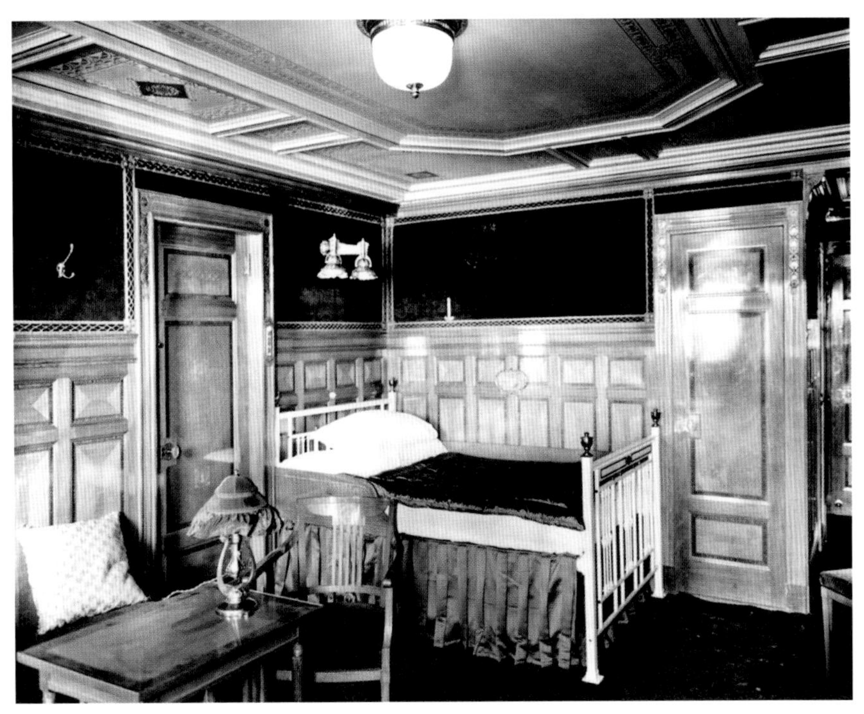

タイタニック号のファーストクラスの船室。オスカーはジョン・ジェイコブ・アスターのような大富豪と同じ空間にいることに興奮していた。ジョン・ジェイコブもオスカーと同じように命を落としたひとりだった。

056

ツィンメルマンはメキシコにテキサス、アリゾナ、ニューメキシコの返還を提案する

［1917年1月19日］

ドイツの外務大臣アルトゥール・ツィンメルマンからの暗号電報を入手して解読したイギリス情報部は、メキシコを巻きこんで紛争地域を拡大しようとするドイツの計画を阻止するだけでなく、アメリカを味方に引きこんで第一次世界大戦の終結を早めようとした。

第一次世界大戦が開始されたとき、アメリカは断固として中立をたもっていた。国内の雰囲気としてはイギリス、フランスを中心とする連合国側の支持に傾いていたが、イギリスやフランスにルーツをもたないアメリカ国民も多く、ドイツにルーツをもつ国民は当然ながらイギリス主導の連合国側を支持することには強く反対していた。アメリカ大統領ウッドロー・ウィルソンは交渉による平和的な紛争解決を訴えていた。

一方のイギリスでは戦時宣伝局が、アメリカとイギリスが共通の価値観と文化をもっている点を強調することで、アメリカを連合国側に引きこもうと説得を続けていた。しかし実際にアメリカ世論を反ドイツに傾けるきっかけになったのは、当時としては世界最大の外洋型定期船ルシタニア号がドイツ潜水艦の攻撃を受けてアイルランド沖で沈没し、多くのアメリカ人をふくむ民間人1200人の犠牲者が出たことだった。

ルシタニア号がドイツの潜水艦からの魚雷攻撃を受けて沈没したのは、イギリスの定期客船が弾薬を運搬しているとドイツが批判していたときだった。この民間人を巻きこんだ攻撃は、ウィルソン大統領ばかりでなくドイツ国内からも厳しく批判されたため、ドイツ軍は潜水艦の配置を北海

だけにとどめると約束せざるを得なかった。ドイツとイギリスのあいだにある北海海域では戦争目的の積み荷があることは明らかだったからだ。

しかし1917年になると、ドイツは敵対的行為に加わっていると見なされた船舶に対しては——たとえアメリカ国旗を掲げていても——潜水艦による無差別攻撃を行うと決めた。それによってアメリカが参戦する可能性が高まることはドイツにもわかっていた。1月19日、ドイツの外務大臣アルトゥール・ツィンメルマンはドイツの駐メキシコ大使に宛てて「メキシコに以下の条件を提示し、同盟国に加わってともに戦い、ともに平和を得ようと提案されたし」との電報を送り、提案の内容として「ドイツはメキシコに十分な財政援助を行うこと、ドイツはメキシコがかつて奪われたテキサス、ニューメキシコ、アラバマの各州のメキシコへの再編入を認めること」をあげていた。

アルトゥール・ツィンメルマンはドイツの外務大臣だった。メキシコを第一次世界大戦に引きこもうと画策する前には、アイルランドに2万5000人の兵力と7万5000丁のライフル銃を西岸に陸揚げするからイギリスに反乱を起こすようそそのかしていた。

ドイツは第一次世界大戦中ずっと、メキシコとアメリカが戦うように仕向けようとしていた。アメリカの兵力をメキシコに向けさせ、ヨーロッパでの戦闘にさく余裕をなくしたかったからだ。しかしここへきてツィンメルマンはさらに一歩踏みだし、メキシコ大統領は「みずから主導して日本を誘い、われわれの同盟に加わるよう仲介の労をとるべきだ」とまで言っていた。当時日本はイギリスなどの連合国側に立っていたのだ。

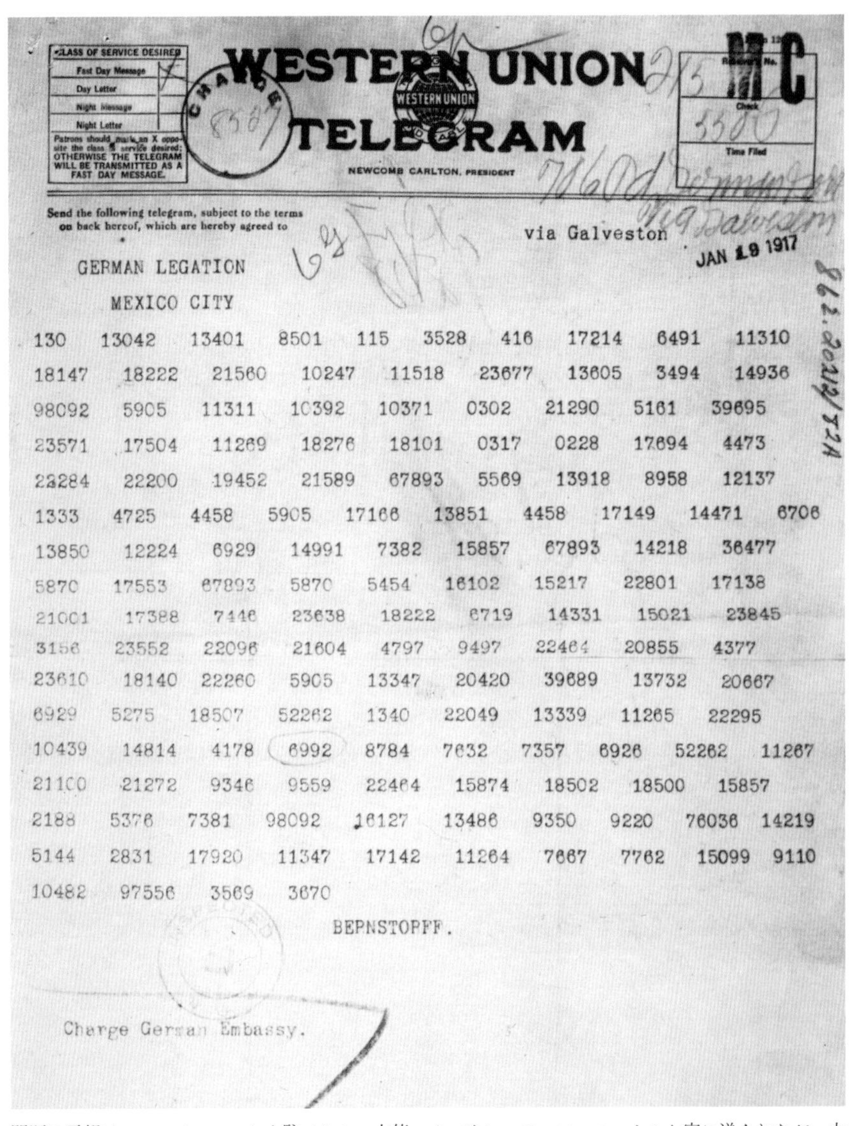

CLASS OF SERVICE DESIRED
Fast Day Message
Day Letter
Night Message
Night Letter
Patrons should mark an X opposite the class of service desired; OTHERWISE THE TELEGRAM WILL BE TRANSMITTED AS A FAST DAY MESSAGE.

WESTERN UNION TELEGRAM

NEWCOMB CARLTON, PRESIDENT

Receiver's No.
Check
Time Filed

Send the following telegram, subject to the terms on back hereof, which are hereby agreed to

via Galveston

JAN 19 1917

GERMAN LEGATION

MEXICO CITY

130 13042 13401 8501 115 3528 416 17214 6491 11310
18147 18222 21560 10247 11518 23677 13605 3494 14936
98092 5905 11311 10392 10371 0302 21290 5161 39695
23571 17504 11269 18276 18101 0317 0228 17694 4473
22284 22200 19452 21589 67893 5569 13918 8958 12137
1333 4725 4458 5905 17166 13851 4458 17149 14471 6706
13850 12224 6929 14991 7382 15857 67893 14218 36477
5870 17553 67893 5870 5454 16102 15217 22801 17138
21001 17388 7446 23638 18222 6719 14331 15021 23845
3156 23552 22096 21604 4797 9497 22464 20855 4377
23610 18140 22260 5905 13347 20420 39689 13732 20667
6929 5275 18507 52262 1340 22049 13339 11265 22295
10439 14814 4178 6992 8784 7632 7357 6926 52262 11267
21100 21272 9346 9559 22464 15874 18502 18500 15857
2188 5376 7381 98092 16127 13486 9350 9220 76036 14219
5144 2831 17920 11347 17142 11264 7667 7762 15099 9110
10482 97556 3569 3670

BERNSTORFF.

Charge German Embassy.

問題の電報はツィンメルマンから駐メキシコ大使ハインリヒ・フォン・エッカルト宛に送られたが、大使に届く前にイギリスの情報部が入手して解読していた。

ツィンメルマンのねらいは、戦いを拡大し短期間のうちに圧倒的勝利を収めることだった。彼は「われわれが情け容赦なく潜水艦攻撃を行うことによって、数か月のうちにイギリスに和平を結ばせることが期待できるとメキシコ大統領に伝えてほしい」と電報をしめくくっている。

イギリス情報部が解読した電報はイギリスに駐在するアメリカ大使を介してウィルソン大統領に届けられ、大統領は2月28日にそれをマスコミに公表した。その数日後、アメリカの記者に尋ねられたツィンメルマンはその電報が本物であることを認めた。アメリカの貨物船がドイツ軍潜水艦の攻撃を受けるようになり、アメリカ議会は4月6日にドイツへの戦線布告を決議した。

こうしてツィンメルマンの電報はたしかに戦争を拡大し短期化したが、彼の思惑とは逆の結果になった。メキシコとの戦闘に戦力をさくどころか、アメリカ軍は逆にそれまでメキシコの革命家パンチョ・ビリャ一味の掃討に向けていた戦力を引きあげさせた。そして日本はドイツ側につくことはないと宣言したのである。

057

スタムフォーダム卿がイギリス王室の新しい王朝名を提案する

［1917年6月］

王や皇帝はそのファーストネームで呼ばれ、大統領や独裁者はその姓で呼ばれることが多い。20世紀初頭、イギリス王家に姓があることを知っている国民はほとんどいなかった。知っていた人も――国王本人も――ザクセン＝コーブルク＝ゴータという家名を気に入ってはいなかった。

第一次世界大戦中、イギリス王家がドイツの姓をもっていることは非常に都合の悪いことだった。1714年にアン女王が死去したあと、女王の又従兄弟（またいとこ）でプロテスタントであり、ドイツのハノーファー家の血を引くジョージ1世がイギリス国王として迎えられた。その5世代あと、ジョージ1世の遠い姪に当たるヴィクトリア女王がやはりドイツのシュロス・ローゼナウ出身のアルバート公と結婚した。当時の慣例にしたがって女王はアルバート公の姓を名乗り、アルバート・ザクセン＝コーブルク＝ゴータ夫人となった。1901年に女王が死去すると、息子のエドワード7世が王位を継ぎ、ザクセン＝コーブルク＝ゴータ朝の初代国王となった。

ドイツとの血縁関係を示すその王朝名は、20世紀初頭のヨーロッパでは名乗りづらいものだった。1914年にヨーロッパ中を巻きこんで第一次世界大戦が起こったとき、イギリス国王はエドワード7世の息子ジョージ5世だったが、敵国ドイツの皇帝は従兄弟のウィルヘルム2世だった。ジョージ5世のもうひとりの従兄弟であるロシア皇帝ニコライ2世は、社会主義および共産主義の波がヨーロッパに押しよせる中で退位を余儀なくされていた。ザクセン＝コーブルク＝ゴータ姓を名乗るには非常に都合の悪

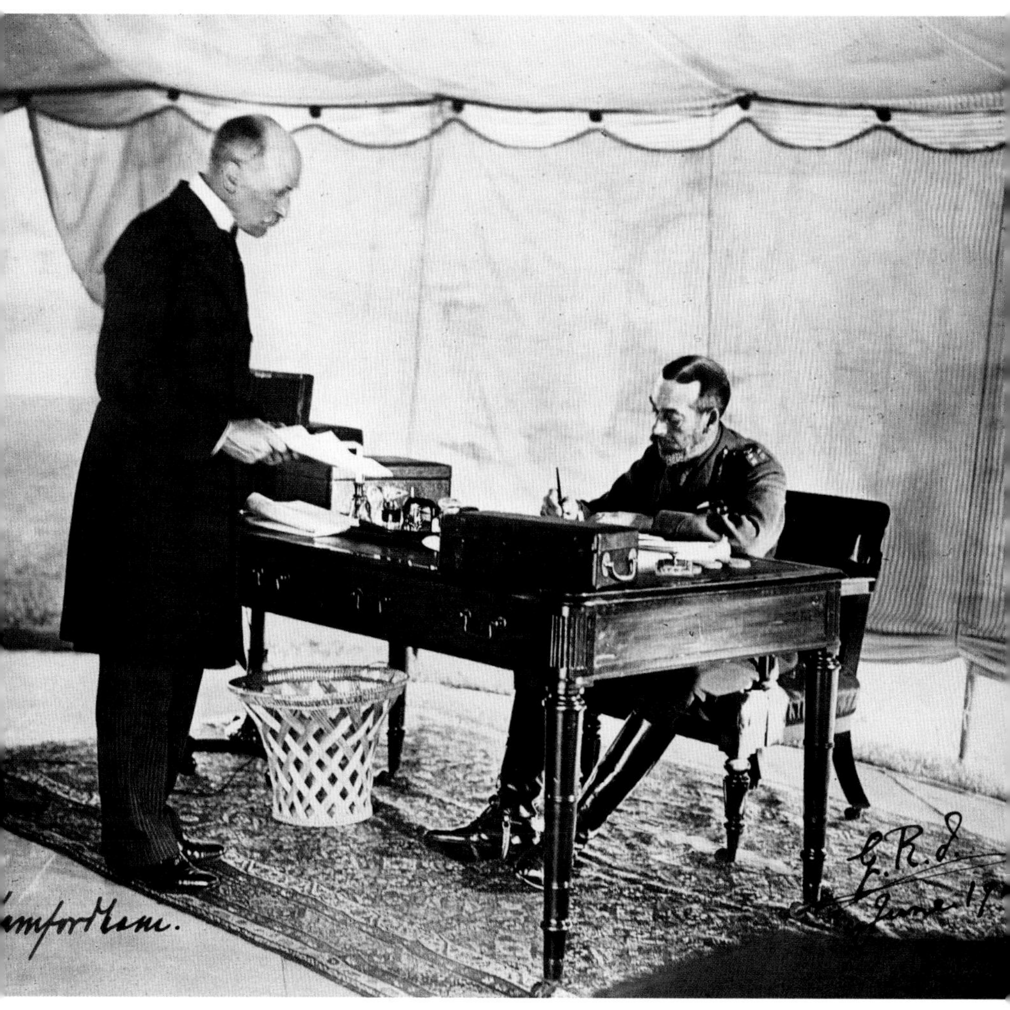

国王ジョージ5世の前にひかえるスタムフォーダム卿。

い状況だったのだ。

1917年、ドイツのゴータ製作所が製造した爆撃機でロンドンが空爆されたことで、ジョージ5世はザクセン＝コーブルク＝ゴータ姓を捨てるべきときが来たと決断した。そして国王は秘書官のスタムフォーダム卿アーサー・ビッグに、新しい王朝名を、できれば歴史のどこかに出てきたものから選んでほしいと依頼したのだ。問題は、王につながるどの先祖の血筋をさかのぼっても、必ずと言っていいほど何らかのスキャンダルや血まみれの争いが影を落としていることだった。スチュアート朝はカトリックに固執しすぎ、斬首された人物もいる――それはまずい。テューダー朝には結婚をくりかえしすぎたり(ヘンリー8世)、冷酷すぎたり(血まみれのメアリー女王)した人物がいた。フィッツロイ家は嫡出ではないし、プランタジネット朝は身内で王位を争って戦争までしている。

名案は秘書官スタムフォーダム卿がウィンザー城の古文書に当たっているときに閃いた。ウィンザー城を建造したのは11世紀にノルマンディーからやってきたイングランド初のフランス系(ドイツよりはまし)の国王、ウィリアム征服王だ。ヴィクトリア女王はこの城を王族のプライベートな住居

1917年に新聞に掲載された政治漫画。王がドイツに関連するものをほうきで掃いて捨てようとしている。王朝名を変えたほかにも、ドイツ貴族の称号としてのプリンス・オブ・バッテンバーグやデューク・オブ・テックなどの称号はイギリス風に変更された。たとえばプリンス・ルイス・オブ・バッテンバーグは初代ミルフォード・ヘイヴン侯爵となっている。

として愛用していたではないか。秘書官はその日のうちに、この問題に関する発言権をもつ首相ハーバート・アスキスに「あなたの気に入るであろう王朝名をついに見つけたように思います。その上、この名前ならヴィクトリア女王陛下がウィンザー朝を開いたと見なされることになるでしょう」と手紙を書いた。

たしかに王家の華やかな家系をあらわす真正な王朝名と言いきるには反論があるかもしれない。しかしイギリス王家であることを明白に示すという目的にかなうことは間違いなかった。1917年7月17日、ジョージ5世は「この勅令を発する本日より、わが王家はウィンザー朝と称することとする」と宣言した。この決定は即座に、王室に対する好意的な反応をもたらした。当時の評論家のひとりはそれについて「王室がドイツとのつながりをあらゆる面で排除しようと熱心に努力した結果は、国民の親愛の情と忠誠心という形で実を結んだ」と書いている。

今となれば、「ウィンザー朝」よりイギリス的な名前は考えられない。

058

ジーグフリード・サスーンがタイムズ紙に公開状を送る

［1917年7月6日］

第一次世界大戦が近づく中、愛国心の高まりを抑えきれなくなったジーグフリード・サスーンは開戦前にイギリス陸軍に志願兵として入隊した。戦場における勇敢な行動で仲間にも一目置かれていた彼は、勲章も授与された。しかし無意味な殺戮に嫌悪を感じた彼は、司令官に持論を訴える公開状を書いた。

サスーンは敵軍の塹壕を攻撃したさいの勇敢な行為に対して戦功十字章を授与されている。授賞の理由は「銃弾と手りゅう弾が飛びかう中で1時間半にわたり傷ついた仲間たちを救助し続けた。彼の決断力と勇気のおかげで、すべての負傷者と戦死者が味方のもとに帰ることができた」ことだった。また別の戦闘では、イギリス軍人に与えられる最高の栄誉であるヴィクトリア十字勲章も受けている。

たくさんの手りゅう弾を使って60人のドイツ人歩兵が守る塹壕をひとりで奪い、敵が逃げたあとの塹壕に腰をおろして、持っていた詩集を読んでいたこともあった。サスーン自身も詩

Copy of Statement.
I am making this statement as an act of wilful defiance of military authority, because I believe that the War is being deliberately prolonged by those who have the power to end it. I believe that this war, upon which I entered as a war of defence and liberation, has now become a war of aggression and conquest. I believe that the purposes for which I and

サスーンの公開状はイギリス陸軍にとっては厄介なしろものであり、軍部は彼を国民の目から隠そうとした。

ジーグフリード・サスーンがタイムズ紙に寄せた公開状

私は軍当局にあえて反抗するつもりでこの公開状を書いた。なぜなら私は、この戦争を終わらせる地位にある人たちが意図的にこの戦争を引き延ばしていると信じるにいたったからだ。私はひとりの軍人であり、この行為は仲間の軍人たちのためだと確信している。私が祖国を防衛し自由を守るためと信じて参加した戦争は、今や侵略と征服の戦争に変わっている。私と仲間たちに行動を起こさせた当初の明白な目的は、今なら交渉によって達成できるところまで来ている。

私は多くの戦いとその苦しみに耐えてきた。しかし今、邪悪で欺瞞に満ちているとしか思えない目的のために、この苦しみを引き延ばす行為にこれ以上かかわることには耐えられない。戦闘行為が嫌だと言っているのではなく、実際に戦っている兵士たちを犠牲にしている政治の過ちと偽善に抗議しているのだ。

今も苦しんでいる仲間たちのために、彼らをその苦難に追いこんでいる欺瞞に対して私は抗議する。それと同時に、こうして声を上げることで、国外の戦地で戦う兵士たちの苦難を分けあおうともせず、理解しようともしないでいる人々の冷淡な自己満足を少しでも打ちくだくことができるかもしれないと考えている。

人であり、入隊当初の愛国心の高まりが去ったあとは、戦争は祖国を守る高貴な行為というより、好戦的な帝国どうしの意地の張りあいが招くものだと考えるようになっていた。彼は偉大な戦争詩人のひとりになった。

銃弾による傷をイギリスで治療していた彼は、その傷が癒えてきたとき、今こそ自分の思いを公表するべきだと考えた。彼は軍の司令官に宛てた「ある軍人の宣言」と題する公開状を新聞社に送り「邪悪で欺瞞に満ちているとしか思えない目的のために、この苦しみを引き延ばす行為にこれ以上かかわることには耐えられない」と書いた。

そして「私が祖国を防衛し自由を守るためと信じて参加した戦争は、今や侵略と征服の戦争に変わっている」として、自分は直属の上官に反抗するつもりではないことを強調し「戦闘行為が嫌だと言っているのではなく」——もちろんともに戦う仲間に不満があるわけでもなく——「私はひとり

イギリス軍人の最高の栄誉であるヴィクトリア十字勲章を授与されたサスーンを臆病者と呼ぶことは、誰にもできなかった。

の軍人であり、この行為は仲間の軍人たちのためだと確信している」と言う。しかし彼はここへきて「この戦争を終わらせる地位にある人たちが意図的にこの戦争を引き延ばしていると信じるにいたった」のだ。

ドイツとの戦争が開始されたときの愛国心の高まりの中では、良心的兵役拒否など考えられないことだった。入隊しない者は臆病者の烙印をおされ、のけ者にされるし、脱走兵は軍法会議にかけられて射殺されていた。しかし長引く戦争が若者たちの命を奪い始めると、国民の気もちにも変化が見え始めた。サスーンのように大っぴらに声をあげて国に反抗することはまだ難しかったが、彼の言葉に賛同する人々も出てきた。

サスーンが銃殺されることはなかった。なにしろ彼は軍の英雄であり、よく知られた詩人だったのだから。だがその代わりに、陸軍省はさしさわりのないように彼は戦争神経症だと発表し、世間の目に触れないようエディンバラの病院に収容した。サスーンはそこでやはり戦争詩人のウィルフレッド・オーウェンと出会った。ふたりは良い友人となり、お互いの作品を見せては励ましあった。

その後ふたりは戦争に反対する意見をもったままでふたたびフランス戦線に送られた。サスーンはまた負傷したがそのときも回復し、1967年に80歳で死去した。オーウェンは休戦協定が成立するちょうど1週間前に戦死した。サスーンはオーウェンの詩を戦後世代に推奨し、ふたりはアイヴァー・ガーニー、ロバート・グレーヴス、ルパート・ブルックなどと並ぶ戦争詩人として、第一次世界大戦で若者の多くが命を落としたイギリスの失われた世代を代表する存在となっている。

059

アドルフ・ヒトラーが初めて書いた反ユダヤ主義の文章はアドルフ・ゲムリッヒに宛てた手紙だった

［1919年9月16日］

第一次世界大戦後、ドイツ帝国は解体させられ、敗戦国は戦勝国側から高額の賠償金を課せられた。結果としてドイツ国民のあいだには貧困が広まり、怒りと憤懣が高まっていた。ひとりの帰還兵の心の中では憤懣のあまり憎悪の感情が燃え上がっていた。

第一次世界大戦後のドイツは絶望的な状況にあった。歩兵部隊から帰還してきたアドルフ・ヒトラーのような人間にとって、先の見通しは暗いものだった。経済は崩壊し、軍隊は解散が始まっていた。帰還兵の中には民兵組織を作って、誕生したばかりのドイツ共和国の不安定な政治状況を背景に過激な目的を追求する動きもあった。

ヒトラーはミュンヘンにある軍の情報組織のトップ、カール・マイヤーに、復員をひかえた兵士の中で共産主義化しそうな人物をスパイするためにスカウトされた。マイヤーは自分なりの保守的な思想をもち、ロシア革命の前後からヨーロッパに広まりつつあった共産主義に対抗するものとして、ナショナリズムを考えていた。マイヤーは彼の考える「民族主義的思想」を教化する講習にヒトラーを参加させた上で、新しく設立されたドイツ労働者党（DAP）の集会に送りこんだ。

ヒトラーはDAPの方針——民族主義的、反共産主義的であるだけでなく反資本主義、反ユダヤ主義をかかげている——に感銘を受けた。彼はDAPの方針に対する適性を示し（言いかえればすっかり染まり）、そのおかげで創設者ディートリヒ・エッカートの目に留まった。

Und diese Wiedergeburt wird nicht in die Wege geleitet durch eine Staatsführung unverantwortlicher Majoritäten unter dem Einfluss bestimmter Parteidogmen, einer unverantwortlichen Presse durch Phrasen und Schlagwörtern internationaler Prägung, sondern nur durch rücksichtslosen Einsatz nationalgesinnter Führerpersönlichkeiten mit innerlichem Verantwortungsgefühl.

Diese Tatsache jedoch raubt der Republick die innere Unterstützung der vor allem so nötigen geistigen Kräfte der Nation. Und so sind die heutigen Führer des Staates gezwungen sich Unterstützung zu suchen bei jenen die ausschliesslich Nutzen aus der Neubildung der deutschen Verhältnisse zogen und ziehen, und die aus diesem Grunde ja auch die treibenden Kräfte der Revolution waren, den Juden. Ohne Rücksicht auf die auch von den heutigen Führernsicher erkannte Gefahr des Judentums (Beweis dafür sind verschiedene Aussprüche derzeitig leitender Persönlichkeiten) sind sie gezwungen die ihnen zum eigenen Vorteil von den Juden bereitwillig gewährte Unterstützung anzunehmen, und damit auch die geforderte Gegenleistung zu bringen. Und dieser Gegendienst besteht nicht nur in jeder möglichen Förderung des Judentums überhaupt, sondern vor allem in der Verhinderung des Kampfes des betrogenen Volkes gegen seine Betrüger, in der Unterbindung der antisemitischen Bewegung.

Mit vorzüglicher Hochachtung

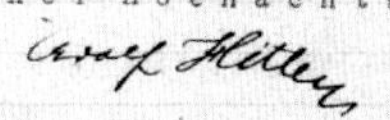

ドイツ軍のタイプライターで打ち、ヒトラーが署名した悪名高い「ゲムリッヒ書簡」の最終ページ。ホロコーストに関する記録を保存しているサイモン・ウィーゼンタール・センターが買いとったもの。

彼は1919年9月12日にDAPに入党した。ヒトラーは弁が立つと知ったマイヤーは、同じ復員兵のアドルフ・ゲムリッヒがDAPの方針について尋ねてきた手紙に返事を書くことをヒトラーにまかせた。ゲムリッヒの問いは「DAPはユダヤ人問題にどう対処するのか」というものだった。

自分の国をもたないユダヤ人は、どこに住んでもよそ者あつかいをされてきた。現代の移民や難民と同じで、何か問題が起こればまっ先に悪者にされることが多かった。それでもユダヤ人は多くの国の経済界で有能な経営者や資本家として活躍してきていた。「ユダヤ人問題」というのは18世紀以来ずっと、彼らの存在と成功に反感をもつ人々が遠まわしに使ってきた表現だった。

ヒトラーは熱意をこめてゲムリッヒへの返信の下書きを始めた。彼はゲ

アドルフ・ヒトラーからアドルフ・ゲムリッヒへの手紙

ゲムリッヒ殿

現在ユダヤ民族がドイツ国民に及ぼしている危険は、さまざまな場面におけるドイツ国民に対する明白な嫌悪となって現れている。嫌悪といっても、意識的かどうかはともかく、ユダヤ人が全体として組織的に害を与えていると明白に認識されることはない。むしろ個人的に接するさいに個々のユダヤ人が私たちに与える印象から感じとれるものだ。そのため、反ユダヤ主義は単に感情的な問題だと安易に片づけられやすい。しかしそれは間違いだ。政治運動としての反ユダヤ主義は感情の問題と決めつけるべきものではなく、事実の認識にもとづくものと見なされなければならない。その事実とは以下のようなことだ。第一に、ユダヤ人とは人種であって宗教団体ではない。彼らは決して自分をユダヤ系ドイツ人とかユダヤ系ポーランド人とかユダヤ系アメリカ人だと考えることさえなく、ドイツやポーランドやアメリカの国籍をもつユダヤ人だと認識しているのだ。彼らは自分が暮らしている国の言語になじんでいるほどにもその国になじんでいない。フランスに住んでいるからフランス語を使わざるを得ないドイツ人、イタリアにいるからイタリア語を使うドイツ人、中国にいるから中国語を使うドイツ人は、フランス人でもイタリア人でも中国人でもない。それと同じでドイツに住むユダヤ人はドイツ語を使わざるを得ないだけだ。つまりそのユダヤ人はドイツ人にはならない。モーセの教え——ユダヤ人にとって非常に重要な信仰——を信じるかどうかも、ユダヤ人であるかどうかの基準にはならない。全員が同一の宗教の信者である人種などまずないだろう。

何千年ものあいだユダヤ人どうしの結婚を続けてきた結果、周囲で暮らす他人種の多くとくらべると、彼らは人種としての特徴をはるかに強くたもっている。つまりドイツにはドイツ人ではない異人種が、自分たちの特質を捨てること、感情、思考、努力の対象を変えることを望まず、そうすることが不可能な異人種が暮らしているのだ。それにもかかわらず、彼らは私たちと同じ政治的権利を有している。純粋に物質的な面から見ても彼らの価値観はおのずと明らかだが、彼らが何を考え、何に励んでいるかを見ればより明白になる。黄金の子牛の像のまわりで踊ったという旧約聖書の記述は、私たちがもっとも貴重だと考えるものを所有するために冷酷に励み続ける現代の彼らにつながっている……

ムリッヒに、ユダヤ人は人種、宗教、富の面から見て自分たちを他の人種とは異なる存在だと見なし「何千年ものあいだユダヤ人どうしの結婚を続けてきた……ドイツにはドイツ人ではない異人種が、自分たちの特質を捨てること、感情、思考、努力の対象を変えることを望まず、そうすることが不可能な異人種が暮らしている」と書いた。さらに彼らは私たち国民の富をすべて手中に収めようとしている、として「旧約聖書の黄金の子牛の伝承にあるように、地上でもっとも貴重なものを手に入れるために冷酷に励み続けるのが彼らなのだ」と言い切っている。

ヒトラーやゲムリッヒのように敗戦ですべてを失ったドイツ人にとって、こう信じることは簡単だった。しかしヒトラーはさらに、ユダヤ人問題を解決する合理的な方法があるとして「ユダヤ人のもつ特権を組織的で法的な手段で奪い……しかし究極の目標はユダヤ人そのものの完全な排除であるべきだ」と主張した。

そのわずか数か月後、ヒトラーはDAPの主任宣伝員となり、それ以後ドイツ労働者党(DAP)は国民社会主義ドイツ労働者党(NSDAP)と改称し、一般にはナチ党として知られるようになった。そしてその20年後に彼が始めた戦争中、ナチ党はヒトラーの言う「ユダヤ人問題の最終的解決」を吐き気を催すほどの効率の良さで実現して見せたのだ。

060

伝説的スパイ、ガイ・バージェスがBBCに入社するための推薦状をもらう

[1935年12月5日]

どんなスパイも身分を隠して何らかの職業についているものだ。しかし放送の中立性の砦であるBBCの職員になるより安全な偽装はないだろう。あるケンブリッジ大学の教授はガイ・バージェスの輝かしい経歴を記した推薦状を彼の将来の雇用主に送り、バージェスは共産主義とは縁をきったと保証した。

ガイ・バージェスはケンブリッジの学生時代には共産主義に賛同していた。1930年代初頭の経済危機によって人々の資本主義への信頼は揺らぎ、ヒトラーに代表されるドイツの極右化もイギリスにとっての不安材料だった。バージェスはケンブリッジ使徒会というサークルに友人のアンソニー・ブラントとともに所属していた。ケンブリッジ大学社会主義者クラブ内で共産主義者組織を作り、のちにバージェスたちと同じようにソ連のスパイになるドナルド・マクリーンとも知り合った。

まだ学生だった1934年にモスクワに旅行したバージェスとマクリーンは、そこで会ったケンブリッジの卒業生キム・フィルビーからソ連のスパイにスカウトされた。

彼らがスカウトされた理由は、オックスフォードやケンブリッジの優秀な学生は、将来イギリスの政財界でリーダーとなる可能性が高いからだった。そういう人材を早めに仲間に引き入れておいたほうが、目立たなくて安全なのだ。

スパイ活動が目立たないように、バージェスは共産党と縁を切り、親ナチのグループであるイギリス＝ドイツ協会に加わった。右翼の保守党国会

m:

C.(P)

C.(A)

BBC Internal Circulating Memo

Subject: Mr. Guy Burgess

In a letter which I had from George Trevelyan this morning he writes as follows:

"I believe a young friend of mine, Guy Burgess, late a scholar of Trinity, is applying for a post in the B.B.C. He was in the running for a Fellowship in History, but decided (correctly I think) that his bent was for the great world - politics, journalism, etc. etc. - and not academic. He is a first rate man, and I advise you if you can to try him. He has passed through the communist measles that so many of our clever young men go through, and is well out of it. There is nothing second rate about him and I think he would prove a great addition to your staff."

CGG/GHS

December 5th, 1935.

5.0 Thurs. 12th. Dec.

BBCに送られたバージェスの推薦状。「オックスブリッジ」OBの強力な連帯感がよくわかる。

議員の個人秘書を務めたあと、彼はBBCのトーク番組部門のアシスタント・プロデューサーの職に推薦された。

彼を推薦したケンブリッジ大学就職委員会の手紙には「バージェスが今回推薦する3名の中でもいちばん適任だと思われる。非常に社交的で幅広い交友関係を築いている。またバージェスは自信家で、称賛と好意を抱かずにはいられないタイプである」と書いてあった。

この輝かしい内容を受けて、BBCはバージェスに大学の教官からの推薦状を要求した。すると推薦者としては申し分のない学識と高名を誇る歴史学のG・M・トレヴェリアン教授(ケンブリッジ使徒会の先輩でもあった)からの手紙が届いた。教授は「私の若い友人でトリニティカレッジに所属していたガイ・バージェス君がBBCに職を求めていると聞きました。彼は第一級の人物ですからぜひ採用していただきたい。多くの賢明な若者がかかる共産主義というはしかに彼も一度はかかったが、今はもう縁をきっています」と書いていた。教授が本当にそう思っていたのか、それとも使徒会の仲間ということで手心を加えたのかはわからない。

教授はさらに「彼に足りない点は何もありません。スタッフに加えていただければ、彼はきっとそれを証明してくれるはずです」と付けくわえて

裕福な中流家庭に生まれたガイ＝フランシス・ド・モンシー＝バージェスはイートン校からケンブリッジのトリニティカレッジに進学した。BBCに勤務したあと短期間MI6に勤務し、1944年には外務省に入り、外務審議官の秘書になった。

いる。この推薦状のおかげもあって、バージェスは1936年7月からBBCで働き始めた。

BBCのトーク番組のアシスタント・プロデューサーとして、彼は一流の政治家と会う機会にも恵まれた。当時の内閣とは政見を異にしていたウィンストン・チャーチルと会って、地中海の国々についての発言を依頼したこともあった。彼はデヴィッド・フットマンとも親しくなったが、彼を雇っているソ連のスパイはフットマンが情報機関MI6の職員であることを知っていたので、バージェスはイギリス情報部から多少の情報を得る任務を与えられることにもなった。

イギリスの対スパイ組織MI5とMI6に浸透し、外務省の高級官僚にもつながりを持ったバージェスは、イギリス政府の政策や秘密作戦に関する正確な情報を提供することができた。アルコールと同性愛にふける乱れた私生活はいくらか彼のスパイ活動の妨げになっていたかもしれないが、逆にそれが隠れ蓑(みの)になっていた可能性もある。彼の正体が明らかになりイギリス情報部に大きな衝撃が走ったのは、スパイ行為があばかれることを恐れた彼とマクリーンが1951年にモスクワに逃亡したあとのことだった。

061

エレノア・ローズベルトが「アメリカ愛国婦人会」DARに反対の態度を表明する

［1939年2月］

DAR（Daughters of the American Revolution）は1890年、「アメリカ革命の息子たち」SAR（Sons of the American Revolution）が女性の加入を拒否したため設立された。しかし1939年にそのDAR自身が差別的姿勢を示したため、大統領夫人エレノア・ローズベルトは、それを厳しく糾弾する手紙を書くことが自分の義務だと感じた。

ワシントンの大統領就任100周年を記念して設立された多くの団体がそうだったように、DARも当初はその名が示すとおり1776年のアメリカ独立革命に参加した祖先をもつ女性だけに加入を認めていた。

会員数は次第に増大し、1929年にはワシントンDCにある集会施設メモリアル・コンチネンタル・ホールには収まりきらなくなった。そこで隣にDARコンスティチューション・ホールを建設したのだが、3702人収容可能な聴衆席をそなえたこのホールは、今もワシントンDCの同種の建物としては最大規模である。DARはそこで集会を開くほかに、他の組織の会合や芸能人の公演のために貸すこともしていた。国際通貨基金（IMF）は今も定期的にこの会場を利用しているし、ホイットニー・ヒューストンやクリス・ロックもここをミュージック・ビデオの撮影に使っている。

しかし1939年には、DARはアフリカ系アメリカ人の有名なコントラルト歌手マリアン・アンダーソンの公演のためにホールを貸すことを、観客が白人と黒人の両方になることを理由に断った。当時のDARの会員たちは白人と黒人が一緒に集まることを嫌い、1932年からずっとホールを黒人の公演に貸すことを断っていたのだ。

1939年4月9日、ワシントンDCのリンカーン記念堂の階段上で行われたマリアン・アンダーソンの公演に、ワシントンの著名人と7万5000人の大観衆が魅了された。この歴史的なコンサートについて回想したマリアン・アンダーソンは「そのとき私が感じたのは大観衆の圧倒的な熱気だけだった……私は彼らから発せられる善意の大波がこちらにうち寄せてくるのを感じていた」と語っている。

大統領夫人エレノア・ローズベルトは彼女自身もDARの会員だったが、会長のミセス・ヘンリー・ロバーツにその決定に対する嫌悪感を表明する手紙を書いた。

ローズベルト大統領夫人は同会における自分の立場を謙虚にわきまえた書き出しのあとすぐに本題に入った。「偉大な芸術家へのコンスティチューション・ホールの貸し出しを断ったDARの決定には断固反対します。私から見れば、あなたは非常に残念な前例を作ったように思われますから、私の退会通知をお送りするべきだと考えました。DARには賢明な道を選ぶチャンスがあったのにそれを逃してしまいました」

ロバーツ夫人は返信に「直接お会いして誤解の一部を解消しDARの態度

1933年に撮影されたエレノア・ローズベルトの写真。彼女は1933年から1945年までファーストレディーを務め、1945年に夫フランクリン・ローズベルトが死去したあとは1952年まで国連総会のアメリカ代表を務めた。ローズベルトの大統領職を引きついだハリー・S・トルーマン大統領は彼女を「世界のファーストレディー」と呼んだ。

を説明できればよかったのですが」と書いたものの、ローズベルト夫人の退会によってもDARの決定はくつがえらなかった。DARは1952年まで白人限定のルールを変更せず、アフリカ系アメリカ人の加入を認めたのは1977年になってからだった。

しかしマーティン・ルーサー・キングより一世代前にローズベルト夫人がこのような行動をとったことは、アメリカの人種差別反対運動における重要な一歩だったことは間違いない。ローズベルト大統領夫妻はマリアン・アンダーソンのためにもっと素晴らしい会場――リンカーン記念堂の階段上――を見つけた。1939年の復活祭当日、彼女は屋外に集まった7万5000人の聴衆――息子も娘も、黒人も白人も、そしてより良い未来をつくる子どもたちの両親も共につどっていた――を、その歌声で魅了したのだ。

February 26, 1939.

My dear Mrs. Henry M. Robert: Jr.

I am afraid that I have never been a very useful member of the Daughters of the American Revolution, so I know it will make very little difference to you whether I resign, or whether I continue to be a member of your organization.

However, I am in complete disagreement with the attitude taken in refusing Constitution Hall to a great artist. You have set an example which seems to me unfortunate, and I feel obliged to send in to you my resignation. You had an opportunity to lead in an enlightened way and it seems to me that your organization has failed.

I realize that many people will not agree with me, but feeling as I do this seems to me the only proper procedure to follow.

エレノア・ローズベルトがDARに送った手紙の草稿。

062

アルバート・アインシュタインとレオ・シラードがフランクリン・D・ローズベルト大統領に警告の手紙を送る

［1939年8月2日］

レオ・シラードは科学界の忘れられたヒーローのひとりだ。彼が着手した加速器（サイクロトロン）の研究を発展させたアーネスト・ローレンスはノーベル物理学賞を受賞している。ドイツの科学者が核分裂反応の実験に成功したと聞いたシラードは、その研究が恐るべき破壊力をもつ核兵器に利用され得ることを憂慮していた。

レオ・シラードが科学界に貢献した画期的発見を網羅しようとすれば、それだけでこのページが埋まってしまうだろう。彼は線型粒子加速器、微生物培養装置ケモスタット、酵素阻害物質を考案し、人間の細胞のクローンを作る初めての実験にも加わっていた。彼は炭素50放射線治療を考案して実際に自分の膀胱がんの治療に使い、研究仲間とともに、医療用アイソトープを分離するためのシラード＝チャルマーズ効果を発見した。レオ・シラードは並外れた頭脳の持ち主だった。

ハンガリー生まれのユダヤ人シラードはヨーロッパ各地を転々としながら科学研究を続け、第二次世界大戦の暗雲がせまってきた1937年にアメリカに逃走した。1939年初頭にふたりのドイツ人科学者が初めて核分裂反応を起こすことに成功したと聞いたシラードは、直感的にその新技術がもたらす利益と危険をさとった。それが新しいエネルギーを産みだす可能性は大いにあったが、アドルフ・ヒトラーの手に入ればぞっとするような破壊を引きおこす兵器にもなり得る。

シラードと研究仲間たちがまっ先に考えたのは、ドイツが原子爆弾を製造するために必要とするウランを入手させてはならないということだっ

Albert Einstein
Old Grove Rd.
Nassau Point
Peconic, Long Island

August 2nd, 1939

F.D. Roosevelt,
President of the United States,
White House
Washington, D.C.

Sir:

Some recent work by E.Fermi and L. Szilard, which has been communicated to me in manuscript, leads me to expect that the element uranium may be turned into a new and important source of energy in the immediate future. Certain aspects of the situation which has arisen seem to call for watchfulness and, if necessary, quick action on the part of the Administration. I believe therefore that it is my duty to bring to your attention the following facts and recommendations:

In the course of the last four months it has been made probable - through the work of Joliot in France as well as Fermi and Szilard in America - that it may become possible to set up a nuclear chain reaction in a large mass of uranium,by which vast amounts of power and large quantities of new radium-like elements would be generated. Now it appears almost certain that this could be achieved in the immediate future.

This new phenomenon would also lead to the construction of bombs, and it is conceivable - though much less certain - that extremely powerful bombs of a new type may thus be constructed. A single bomb of this type, carried by boat and exploded in a port, might very well destroy the whole port together with some of the surrounding territory. However, such bombs might very well prove to be too heavy for transportation by air.

経済学者アレクサンダー・ザックスはシラードに、彼が書いた手紙をローズベルト大統領にわたせば、大統領は彼の話に耳を傾けてくれるはずだと語っていた。

た。彼らはベルギー国王に手紙を書くことを計画した、なぜならベルギー領コンゴには良質のウランを産出する鉱山があったからだ。シラードは謙虚な性格だったので1939年8月2日付のその手紙を彼の昔からの友人で、ベルギー国王とも会ったことがあるアルバート・アインシュタインの名前で出したほうがいいと考えた。アインシュタインとシラードは古い友人で、1920年代には共同で考案した冷蔵庫の特許を申請したこともあった。

アインシュタインはシラードに、核分裂がそれほど恐ろしい破壊をもたらし得るとは考えたこともなかったと語った。アインシュタインは他の多くの研究者たちとともにアメリカで同じような研究をしていたのだ。彼らは自分たちが早急にウランを入手しなければならないと考えた——ドイツは支配下にあるチェコの鉱山からのウラン国外輸出をすでに禁止していたからだ。そこでシラードが書いた手紙のコピー——やはりアインシュタインのサインをつけたもの——を10月11日にアメリカのローズベルト大統領にも、シラードの友人で大統領と直接話せる立場にあるアレクサンダー・ザックスを介して渡すことにした。

手紙には、原子爆弾が使われたらどれほど恐ろしい結果をもたらすかがはっきり記してあった。「このタイプの爆弾1個を船で港に運び入れて爆発させれば、港全体とその周囲のかなりの範囲を破壊することになるでしょう」。しかしシラードは不安を与えるだけでなく、確信をもってアメリカでも同じ研究は十分進んでいると書いて大統領を安心させた。そして「現在の状況から見ると、アメリカで核分裂の連鎖反応を研究している科学者たちと政府とのあいだの連絡を密にたもつことが必要でしょう」と提案していた。

ザックスからこの手紙の内容を聞いた大統領は「アレックス、君はナチスがこの爆弾を使うのを阻止したいということだね」と言い「そのとおりです」とザックスは答えた。大統領はアインシュタインに返信を書き「いただいた手紙の内容の重大性を考慮し、手紙に書かれたウランに関するさまざまな可能性を十分に調査検討するための……委員会を招集した」と書い

アインシュタインとシラード。アインシュタインはベルギーのエリザベート王妃と個人的に親しかった。シラードは、ベルギー領コンゴの鉱山からドイツにウランを輸出しないようベルギー国王夫妻に手紙でたのんでほしいとアインシュタインに依頼した。

た。これがウラニウムに関する諮問委員会として発足し、それ以後も名称と役割を変えながら存続して、1942年6月に最終的にマンハッタン・プロジェクトとなった組織である。結局ドイツは核分裂反応の研究を兵器に利用することはなかったわけで、平和主義者アインシュタインはあとになって、アメリカの原爆製造に協力したことを深く後悔していた。1947年に発行されたニューズウィーク誌で「ドイツが原子爆弾の製造に成功していないとわかっていれば、私は何もしなかっただろうに」と彼は語っている。

063

ムッソリーニはヒトラーがロシアと不可侵協定を結んだことを祝う

［1939年8月25日］

1939年8月23日、ヒトラーはもしドイツが隣国ポーランドにレーベンスラウム（生活圏）を求めて侵攻しても、ロシアはその行動を妨げないという内容の不可侵協定を結んだ。その2日後、ヒトラーは盟友であるイタリアのベニート・ムッソリーニにそれを知らせる手紙を送った。

ヒトラーは第二次世界大戦を始めるにあたり、綿密な計画を立てていた。彼は「こうした事前準備をしておけば、どのような軍事衝突が起ころうとロシアはこちらに敵対することはないはずだ」とムッソリーニへの手紙に書いた。実際にはこの協定はヒトラーがロシアに侵攻する準備が整うまでのあいだ、スターリンを油断させておくための時間かせぎだった（現にヒトラーは1941年にロシアに侵攻している）。彼はポーランドに侵攻する口実を作るために故意に国境地帯の緊張を高め「ポーランド側が許しがたい行動に出れば、わが軍は即座に対応する」と書いている。そして彼は実際にポーランド軍の制服を着たドイツ軍部隊を使って、ポーランド軍が「許しがたい行動に出た」という虚偽の事実を捏造したのだ。

ムッソリーニはすぐに返信を書いた。彼はロシアとの不可侵協定の締結を大いに喜んで「民主主義国家勢力に包囲されることを防ぐためにはドイツとロシアの和解が必要だ」と書き、イタリアの総帥（ドウーチェ）からドイツの総統（フユーラー）への手紙に「ポーランドについてはドイツの立場を完全に理解しており、現実的に緊張状態をいつまでもひきずることはできないだろう」と書いた。

ふたりの国家指導者はそれまでにすでに何度か会見し、ドイツの拡大計

アドルフ・ヒトラーの手紙に対するベニート・ムッソリーニからの返信

ロシアとの協定が結ばれたとのこと、心からお喜び申しあげる……私はかねてより、民主主義国家勢力に包囲されることを防ぐためにはドイツとロシアの和解が必要だとゲーリング元帥に話していた……

日本との関係が崩壊することは日本が民主主義勢力に接近することにつながるので、なんとしても避けることが必要だろう……

ポーランドについてはドイツの立場を完全に理解しており、現実的に緊張状態をいつまでもひきずることはできないだろう。

軍事衝突に対するイタリアとしての立場に関しては……ドイツがポーランドに侵攻し、それが局地戦にとどまっている限り、イタリアはドイツから求められる政治的経済的協力はいっさい惜しまない。ドイツによるポーランド侵攻に対し、連合国側がポーランドを守るために反撃するようなことになれば、あらかじめ言っておきたいのだが、わが国としては積極的に軍事的行動をとらないほうがいいと考えている。何度も説明してきたように、イタリアの軍事行動の現状は……

これまでの貴君との何度かの会見では戦争の開始は1942年と想定されており、その時には私たちが話し合ったとおりに陸海空軍の準備は整っているはずだった……

私は、貴君には事実を包み隠さずに告げ、当方の現状をあらかじめ知らせておくことが自分の義務だと考えている。そうしなければ双方にとって不都合な結果を招くだろう。

画について相談して具体的なタイムテーブルまで作成していた。そのためムッソリーニは返信のなかで「これまでの貴君との何度かの会見では戦争の開始は1942年と想定されており、その時には私たちが話し合ったとおりに陸海空軍の準備は整っているはずだった」と苦情を述べている。

いわばフライングを犯したヒトラーは、イタリアの無条件の協力は期待できなくなった。「ドイツがポーランドに侵攻し、それが局地戦にとどまっている限り」つまりドイツとポーランドのあいだの戦闘に限定されている限り「イタリアはドイツから求められる政治的経済的協力はいっさい惜しまない」が、周囲の厄介な民主主義国家勢力がポーランドの救援に乗りだしてドイツに反撃することになれば「あらかじめ言っておきたいのだが、わが国としては積極的に軍事的行動をとらないほうがいいと考えている」とムッソリーニは書いている。

ムッソリーニが地中海方面への進出を試みたせいでイタリアの軍事力は低下していた。ジャーナリストから政治家に転身したムッソリーニはカエサルにならって新しいローマ帝国を築く野望をいだいていたのだ。彼はス

ミュンヘンに立つヒトラーとムッソリーニ。どちらも第一次世界大戦終結時は陸軍の伍長にすぎなかったのに、第二次世界大戦では全軍の指揮権をにぎっていた。

ペインをファシスト国家にしようとするフランコに協力し、北アフリカのリビアとエチオピアを植民地化していた。

枢軸国側の一員である以上イタリアが連合国側から攻撃を受けることはあり得たのだが、ムッソリーニの野望とプライドのせいで、結局イタリアは1年もたたないうちに第二次世界大戦に巻きこまれていく。ムッソリーニはイタリアが大して協力しなくてもドイツはフランスと戦って簡単に勝利すると見て、1940年6月10日に南西部の国境からフランスに侵攻した。しかしイタリア軍のアルプス越えは困難をきわめ、2000人以上のイタリア兵が凍傷に苦しんだ。

ムッソリーニは戦線を北アフリカとバルカン半島沿岸部およびギリシアに移した結果、ある程度の成功を収めた。1942年にはバルカン半島沿岸諸国とギリシアを支配し、イギリス領エジプトの一部とその他のアフリカ植民地の多くも支配下においていた。いったい何を根拠に、ムッソリーニは1942年まで参戦したくないと言っていたのだろう……。

064

ウィンストン・チャーチルは個人秘書の手紙に素っ気ない返信を書く

［1940年6月28日］

1940年5月27日から6月4日までのあいだに、ドイツ軍の容赦ない侵攻によってフランス北部ダンケルクの港に追い詰められていた34万人近い連合国軍兵士が救出された。誰もがこの英雄的行為を讃えたものの、この事件はヨーロッパ戦線における勝利をめざしていたイギリスにとっては大きな打撃だった。

ウィンストン・チャーチルは敵に屈して譲歩する者、敗北を不可避と考えてあきらめてしまう者には冷たい態度をとった。彼は前任のネヴィル・チェンバレンが外交努力によって「この時代の平和」を維持することに失敗したあと、緊迫した戦時下の首相となった。

イギリスの海外派遣軍が北フランスのダンケルクから脱出しようとしていたとき、わずか数週間前に首相に就任したばかりのチャーチルは、国民の士気を奮い立たせる「血と汗と涙と労苦」「われわれは海岸で戦う」「これは彼らがもっとも称賛されるべき時だった」のフレーズで記憶されている3つの演説を行った。この3つの演説はどれも、21世紀の今でも敵味方を問わず認めるであろうイギリス人の特質、気丈で孤高をいとわない不屈のイギリス人魂を見事に言いあらわしていた。

それでも彼は、すべての人間を説得できたわけではなかった。6月28日、彼は議会担当秘書官のひとりエリオット・クローシェイ＝ウィリアムズから手紙を受けとった。ふたりは長い付きあいの知人どうしでもあった。チャーチルが初めて彼を雇ったのは植民地大臣だった1906年のことだ。クローシェイ＝ウィリアムズは短期間だが政界に入り自由党の国会議

エリオット・クローシェイ＝ウィリアムズは、アメリカが第二次世界大戦に参戦する見通しが立っていなかった1940年に「イギリスが勝利を手にするチャンスはない」と書いた手紙を送った。

員となったが、チャーチルはほどなく自由党から保守党に転じた。不倫が明るみに出たことが離党の原因だった。

クローシェイ＝ウィリアムズは第一次世界大戦中にエジプトで功績をあげたのちは、作家として戯曲や小説を書き、その後チャーチルの秘書官になっていた。現在では、1940年にチャーチルに手紙を書いた秘書官としての彼がいちばんよく知られているかもしれない。「私はこの戦争に勝利することを切に望んでいます。できることであれば」。彼は「できることであれば」と、疑念をこめて書き始め「しかし伝えられる状況からは、現実的に見て勝利を手にするチャンスはないものと思われます」と続けた。

称賛を浴びているダンケルク脱出とチャーチルの演説についてふれた彼は「私たちがプライドにこだわり意地をはって可能な講和を妨げるべきではありません。今講和しなければ、多くの生命と金銭を失ったあげくに、

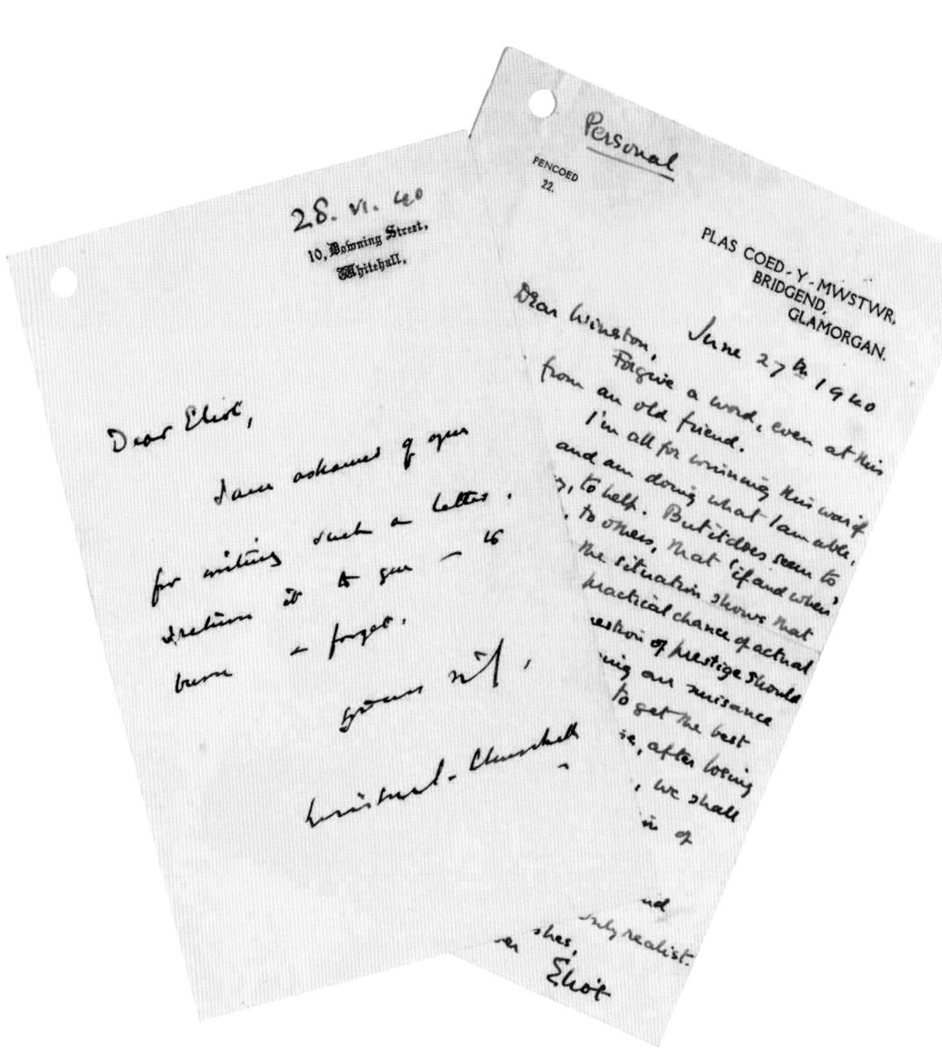
28. vi. 40
10, Downing Street,
Whitehall,

Dear Eliot,
I am ashamed of you for writing such a letter. I return it to you — to burn & forget.
Yours

Winston S. Churchill

Personal
PENCOED
22.
PLAS COED-Y-MWSTWR,
BRIDGEND,
GLAMORGAN.
June 27th 1940
Dear Winston,
Forgive a word, even at this from an old friend.
I'm all for winning this war if and am doing what I am able, to help. But it does seem to to others, that 'if and when' the situation shows that practical chance of actual question of prestige should our nuisance to get the best e, after losing , we shall
realist.
Eliot

チャーチルにヒトラーとの和平交渉を考慮してほしいと願ったエリオット・クローシェイ・ウィリアムズの手紙の上に重ねられたチャーチルの素っ気ない返信。

フランスのような――あるいはもっと悪い状態になることでしょう。私の言葉を敗北主義ととらえないでください。私は敗北主義者ではありません。現実主義者なのです」と書いていた。クローシェイ＝ウィリアムズはチャーチルとの長年の付きあいと彼の今の地位からして、彼の意見が多少なりともチャーチルに訴えるものがあるかもしれないと感じていたのかもしれない。

チャーチルは彼の手紙を注意深く読むと、すぐに返信を書いた。しかしそれは彼の秘書官が期待していたようなものではなかった。「エリオット君、君がこんな手紙を書くとは見損なったものだ。このまま君に返すから焼き捨てて忘れなさい。ウィンストン・チャーチル」

その後のことは歴史が語るとおりだ。ヨーロッパで孤立無援となりながらもイギリスは毅然とした態度でファシズムに抵抗し、北アフリカとバルカン半島の戦線で枢軸国側と戦った。日本が真珠湾を攻撃したことでアメリカが連合国側に加わり、ノルマンディー上陸作戦を経てヒトラーの敗色が濃くなった。

エリオット・クローシェイ＝ウィリアムズはチャーチルが送り返した自分の手紙もチャーチルが書いた返信も燃やさなかった。2010年、その2通セットの手紙はオークションで5万1264ドルの値がついた。エリオットは戦時中の残りの時期をウェールズのトレフォレスト村で地域防衛団の団長として過ごした。このトレフォレスト村は、1940年6月7日に歌手のトム・ジョーンズが生まれた村として有名である。

065

ローズベルト大統領はチャーチル首相にかつてリンカーンが感動した詩を送る

［1941年1月20日］

第二次世界大戦が始まってイギリスが困難な状況にあったころ、アメリカは1930年代に制定された一連の中立法により、表向きには中立の姿勢をたもっていた。しかしローズベルト大統領は何らかの形でイギリスを励ます必要があると感じ、精神的な支えとなることを願ってチャーチル首相に短い手紙を送った。

1940年、イギリスの上空では空軍の戦闘機が奮戦していた。ドイツの戦闘機メッサーシュミットとイギリスのスピットファイアやハリケーンが一騎打ちを繰りひろげる中、ドイツ空軍の爆撃機ドルニエとハインケルが人口密集地や工業地帯に激しい空襲を繰りかえしていた。とくに造船業の中心地クライドバンクや航空機産業の中心地コヴェントリーは最大の攻撃目標だった。

もともと孤立主義に立っていたアメリカは、さきの第一次世界大戦で多くの損害をこうむったせいでさらにその傾向を強め、ヨーロッパの戦争とは距離をおいていた。そのあいだにデンマーク、ノルウェー、オランダ、ベルギー、フランスがドイツの軍事力の前にドミノ倒しのように次々と侵略されていた。もはやドイツとアメリカをへだてる海域に残っていたのは中立国アイルランドとイギリスだけだったのだ。ローズベルトは戦争の拡大に備えてアメリカ軍の兵員を増強し始めていた。

1941年1月20日、ローズベルトはイギリスのチャーチル首相に、困難なときに友人からもらったら誰でも勇気づけられるような、短い励ましの手紙を送った。大統領から首相への公的な手紙ではない。ローズベルトの手

THE WHITE HOUSE
WASHINGTON

Dear Churchill

Wendell Willkie will give you this — He is truly helping to keep politics out over here.

I think this verse applies to your people as it does to us:

"Sail on, Oh Ship of State!
Sail on Oh Union strong and great.
Humanity with all its fears,
With all the hopes of future years
Is hanging breathless on thy fate"

As ever yours
Franklin D Roosevelt

短いながらも読み手の心を震わせたローズベルトの手紙。

紙はタイプライターではなく本人の直筆で「親愛なるチャーチル君へ」と始まり「ウェンデル・ウィルキーにこれを君に届けてもらうことにした――彼はいつも海外と行き来してくれていて、本当に助かっている」と書いていた。

ウェンデル・ウィルキーは前年の大統領選で前例のない3期目の当選をめざしたローズベルトの対立候補として出馬し、敗れた人物だった。しかしふたりはイギリスを援助することと、アメリカで平時徴兵法を制定する必要については同意しており、選挙運動中もその点は争点になっていなかった。

大統領選後、ウィルキーはローズベルトの非公式な海外特使のような役割を引き受けていた。そんな彼がチャーチルに届けた手紙は短いものだった。ローズベルトは「私たちはこの詩にいつも勇気づけられるのだが、きっと君たちにも励ましになると思う」と前置きしただけで、すぐにアメリカの詩人ヘンリー・ワズワース・ロングフェローが書いた『船をつくる』という詩の一節を書いていた。

> 乗りだそう、国という名の船で
> 乗りだそう、偉大で不滅の連邦という名の船で
> 恐怖をいだきながらも
> 未来への希望を胸に
> 誰もがこの船と運命を共にする決意をしている

1941年についに会見したローズベルトとチャーチル。

1849年に書かれたこの詩は、建国したばかりのアメリカ合衆国を「連邦という名の船」にたとえ、「堅固で強いものだけ」で作られているとしている。エイブラハム・リンカーン大統領は、独立戦争の前夜の演説でこの詩の同じ部分を引用し、感極まって数分間演説を続けられなくなってしまった。そしてふたたび口を開いたとき、彼は「こんなに人を感動させられるなんて、すばらしい贈り物だ」と言った。

ローズベルトの予想どおり、その詩はアメリカとイギリスの関係にとってもすばらしい贈り物となった。彼は封筒の宛先に「ある海軍の紳士へ」と書いた。彼はチャーチルがかつて初代海軍大臣を務めたことを知っていて、その詩が船を国の比喩として使っていることも何より彼にふさわしいと考えてのことだろう。チャーチルはローズベルトに、その手紙は彼の心を大いに奮いたたせてくれたと語った。そして手紙を額に入れ何年も机のわきに飾っていた。その手紙は、チャーチルの気持ちを高揚させただけでなく、結局は4期務めることになる希代の大統領ローズベルトの、3期目の就任式当日に書かれたという点でも貴重なものだった。

066

ヴァージニア・ウルフが夫レナードに遺書を書く

［1941年3月］

モダニズム文学の作家ヴァージニア・ウルフは、第二次世界大戦のさなかにロンドンにつどった知識人や芸術家のサークルであるブルームズベリー・グループの中心的存在だった。早い時期に近親者が続けて亡くなったため、彼女は生涯を通してうつ病と戦うことになった。深く沈みこんだ心のままに書かれた手紙の数々は、彼女が書き残したものの中でもことさら深い悲しみをたたえている。

ヴァージニアは13歳で母親を、15歳で仲のよかった異父姉を、22歳で父親を、23歳で兄のトビーを亡くした。あとになって彼女はそれを「死の10年間」と呼んだが、その10年は彼女の少女時代を荒涼とさせ、大人になってからの彼女にも暗い影を落としていた。彼女は墓の中から自分を呼ぶ声が聞こえるように感じ、誰かが死ぬたびにますます心を病んでいった。神経衰弱のため入院治療したり、自殺をはかったりもした。

そうした状況にあるにもかかわらず、彼女が多くの文学作品を産みだしたのは驚くべきことだ。彼女自身も自分の置かれた状況を、呪いであり天恵でもあると考えていた。そうした経験をしたこと、そしてその経験の意味を理解しようとしたことによって、彼女はすばらしい作品を書いたのだ。「明るい気持ちを保つためには仕事をしていなければ駄目だ。書くのを止めたとたん、気分がどんどん沈んでいく。そしていつも私は、深く沈めば沈むほど真実に近づくような気がするのだ」と彼女は書いている。彼女は自分の精神の不調について、好んで水の比喩を使っていた。

頭脳も感情も肉体も完全に活動を止めて休めば治癒すると言われても、

イースト・サセックス州ロドメルの村にある16世紀に立てられた家モンクス・ハウスの外に立つヴァージニア・ウルフ。

ヴァージニアにそんなことが耐えられるわけもなかった。そして新しい作品を書き始めれば、またうつ状態のスイッチが入るのだ。1941年3月、彼女は新作の小説『幕間』の原稿を書きあげた。少し前に彼女が書いて出版されたブルームズベリー・グループのメンバーである画家ロジャー・フライの伝記は、あまり評判がよくなかった。第二次世界大戦は終わりが見えず、夫レナードが市民による「民兵団」に参加すると決めたことは、平和主義者ヴァージニアの心を暗くしていた。ドイツ軍の空襲で彼女たちのロンドンの家は破壊されてしまった。自殺する数日前、ヴァージニアはレナードに遺書を書いた。

Tuesday.

Dearest.

I feel certain that I am going
mad again: I feel we cant go
through another of those terrible times.
And I shant recover this time. I begin
to hear voices, & cant concentrate.
So I am doing what seems the best
thing to do. You have given me
the greatest possible happiness. You
have been in every way all that anyone
could be. I dont think two
people could have been happier till
this terrible disease came. I cant
fight it any longer, I know that I am
spoiling your life, that without me you
could work. And you will I know.
You see I cant even write this properly.
I cant read. What I want to say is that
I owe all the happiness of my life to you.
You have been entirely patient with me
& incredibly good. I want to say that —
everybody knows it. If anybody could

ヴァージニア・ウルフは2通の遺書を書いた。1通は姉ヴァネッサ・ベル宛て、もう1通は夫レナード・ウルフ宛てだった。

「最愛のあなたへ、私はきっとまた、頭がおかしくなるでしょう。もうあの恐ろしい日々を乗りこえることはできそうにありません」と書き始めた彼女には、うつ病が再発するたびに周囲の人々に迷惑をかけていることもわかっていた。「また声が聞こえてきて、集中できません。だから最善だと思うことをすることにしました」

妻からこんな手紙をもらって読む夫の気もちがどんなものか、とても想像できない。「あなたは私にこれ以上ないほどの幸せを与えてくれました。あなたの代わりができるような人は誰もいません。私たちほど幸せなふたりがかつてあったでしょうか」。はっきり書かなくても、彼女が何をするつもりかは明らかだった。「もうこれ以上あなたの人生を駄目にすることはできません」

1941年3月28日、彼女はサセックスの家を出ると、コートのポケットに石をつめて近くのウーズ川に入り、溺れて死んだ。遺体が発見されたのは3週間後のことだった。

ヴァージニア・ウルフの遺書は新聞に掲載されたが、おそらく故意に誤解して伝えられていた。物資の欠乏に耐え、援軍も期待できないまま必死にドイツと戦っていた当時のイギリスでは「私はもう戦えません」という彼女の発言は弱気でイギリス人が誇る負けじ魂が欠けているように受け取られたのだ。平和主義者の言いそうなことだ……という反応である。しかし1970年代になると、ニュージェネレーションと呼ばれる世代によって再評価されるようになった。彼女は優れた作家としてだけでなく20世紀のフェミニズムの先駆けとしても支持された。自分の悲しみに自分で終止符をうったヴァージニア・ウルフは、それからおよそ80年たって確固とした名声を得たのである。

067

ウィンストン・チャーチルが暗号解読官から緊急の要望を伝えられる

［1941年10月21日］

ブレッチリー・パークの暗号解読作業がなければ、第二次世界大戦の結果は大きく変わっていたかもしれない。ドイツ軍のエニグマ暗号を解読したアラン・チューリングとその仲間たちの功績は今ではよく知られているが、プロジェクトの開始当初には深刻な人員不足に悩まされていた。

ブレッチリー・パークの最大の功績はドイツ海軍が使用していたエニグマ暗号を解読したことだ。アイゼンハワー将軍はこの成功が連合国側の勝利に「決定的な」役割を果たしたと語っている。チューリングと仲間のゴードン・ウェルチマン、ヒュー・アレクサンダー、スチュアート・ミルナー＝バリーたちは、自分たちがかかわっている任務の緊急性と重要性を十分に認識していた。しかし補助的な作業をする職員を増やしてほしいという彼らの要望は、管理職に聞き入れられていなかった。

どこでも人員は不足していた。当時は健康な男性は軍隊にとられ、女性はその男性たちの穴を埋めるためにもともとの自分の職場を離れているというありさまだったのだ。解読チームの仕事では大量のデータを扱う必要があった。新しく得たデータは記録して適切な処理をしなければならない。そうした補助的な作業を受けもつスタッフがいなければ、研究者たちが自分で処理するしかない。しかしそれでは、彼らがデータを解析する時間が足りなくなってしまう。疲労と不満が限界に達した彼らは、直属の上司をとびこえて、いちばん上の地位にいる人物に訴えることにした。そしてイギリスの指導者のトップ、ウィンストン・チャーチル首相に直訴の手

戦争中に撮られたブレッチリー・パークの写真。暗号解読作業はこの敷地内に急いで建てられたいくつかの小屋で行われた。

紙を書いたのだ。

「極秘——親展」と記して首相に送られてきた手紙には「私たちの仕事が停滞し、ひどい時には完全にストップしてしまっている現状を、何としてもあなたに知っていただく必要があります。こうなっている最大の原因は人員不足です」と書いてあった。チャーチルはその1週間前にブレッチリー・パークの解読拠点を訪れたばかりだったので、解読官たちは彼らの任務の重要性を首相が理解していると考えたのだ。メンバーのひとりフリーボーンは人員不足を補うために無理をしすぎて「夜勤ができなくなりました。そのため［定期的に変更される］暗号を読みとるキーの発見が少なくとも12時間は遅れています」と手紙は訴えていた。

そして専門知識のない補助職員が20人いれば問題は解決できるとチャーチルに告げ、さらに20人いれば、「熟練したタイピストの不足と解読要員の過労のせいで現在は解読できていない中東地域からの暗号も」解読できるだろうと続けた。「人員不足はどの部署でも大きな問題であり、人員の配置は仕事の優先順位で決まる」ことは彼らにもわかっていた。人員の増強に関する彼らの要求が認められないのは、彼らの仕事の重要度が低いと思われているせいだと考えた彼らは「些細なことに見えるかもしれませんが、すぐにでも私たちの要求に応じなければ、致命的な結果を招くことになります」と書いた。

昼夜を問わずイギリスという国を守り抜くための決断を迫られている一国のリーダーに、大胆な手紙を書いたものである。さらに大胆なことに、解読官たちはその手紙をチャーチルに確実に読ませるために、直接わたそ

［左］ドイツの暗号機エニグマ。［上］暗号解読者としてもっとも有名なのはアラン・チューリングだが、チームの命運をかけた手紙をチャーチルのもとに届けたのはスチュアート・ミルナー＝バリーだった。

うと考えた。その役目を与えられたミルナー゠バリーはロンドンに行き、タクシーでダウニング街10番地の首相官邸に向かって官邸のドアをノックした。

直接チャーチルに会うことはできなかったものの、彼の行動はチャーチルの個人秘書に持参した手紙の緊急性を理解させることはできた。

ミルナー゠バリーも解読拠点の他のメンバーも知らなかったことだが、チャーチルは手紙にすばやく反応し、「必ず今日中に行動せよ。彼らの要求に最優先で応え、すべての手配が確実に終わったことを私に報告すること」と命じていた。

ミルナー゠バリーは45年後にその当時を回想して「その日以来まるで奇跡のようにあらゆる障害がなくなって、仕事がスムーズにできるようになった。ボム［暗号解読に使われたコンピューター］の動作が格段に速くなり、スタッフのところでデータが渋滞することもなくなって、私たちは自分の仕事に専念できるようになったのだ」と語った。

068

1通の電報が真珠湾が攻撃されたことを伝える

［1941年12月7日］

真珠湾が攻撃されたのは1941年12月7日、日曜日の朝のことだった。太平洋戦争は古くから使われてきた作戦である奇襲で始まった。そしてそれを終わらせたのは、地球上の人類を滅ぼす可能性を秘めた恐るべき新技術だった。

真珠湾攻撃は予想外の奇襲だった(アメリカ軍は事前に警告を受けていたという陰謀説は、ほぼ否定されている)が、1931年に日本軍が満州に侵攻して以来、日米間の緊張は高まりつつあった。アメリカは太平洋地域に進出をはかる日本の拡大主義を阻止するために日本と緊迫した交渉を続けていた。1941年春以降、日本海軍の総司令官山本五十六はアメリカ軍などに対する先制攻撃の準備を進めていた。

南太平洋地域に対する同時波状攻撃の一部だった真珠湾の襲撃は午前8時少し前に開始された。日本軍のパイロットは「トラトラトラ」の暗号で攻撃にかかり、陸海軍の基地と飛行場、真珠湾の港湾設備と停泊中の戦艦などを2時間にわたって空爆した。

2400人以上の海軍兵が死亡、アメリカ軍の戦艦は20隻が沈没もしくは損傷を受け、300機以上の航空機が破壊された。アメリカ軍の被害は甚大だったが、奇襲の最大の目的だった太平洋艦隊の壊滅にはいたらなかった。襲撃時にはアメリカ軍の空母は一隻も真珠湾に停泊しておらず、港湾設備の多くも無傷で残ったのだ。

この惨劇を海軍の他の拠点に伝える電報は意外にも淡々としたものだった。海軍少佐ローガン・ラムジーが「緊急」と記してハワイ地域のすべての

RA 12 T2 14 V AC

COMMANDER AIRCRAFT, SCOUTING FORCE — INCOMING

Heading: L Z F5L Ø71830 C8Q TART O

AIRRAID ON PEARL HARBOR X THIS IS NO DRILL

ACTION TT/1911/7 DEC/WU-PF

Originator	Date-Time Gr.	Date	System	Super	C.W.O.	Number
CINCPAC	Ø71830	7 DEC 41	TT	[illegible] PF		338

Action: ALL U S NAVY SHIPS PRESENT HAWAIIAN AREA

Info.

Classification Precedence: URGENT

AD	CS	OP	FS	FLT	GUN	MAT	ENG	SUP	SDO					COM	ACO

日本軍の航空機が真珠湾内のフォード島に爆弾を落とすのを目撃したローガン・ラムジー少佐は南太平洋海域にいたすべてのアメリカ軍艦船に至急電報を打った。

戦艦に送った短い電文は、その後の第二次世界大戦の流れを変える一連の出来事の開始を告げていた。

日本の襲撃を知らせるその電文はわずか九つの単語によるものだった。「真珠湾が空襲された。これは訓練ではない‘AIRRAID ON PEARL HARBOR X THIS IS NO DRILL’」

その翌日、アメリカ合衆国は日本に宣戦布告し、その少しあとに日本と同盟関係にあるドイツがアメリカに宣戦布告した。アメリカ大統領フランクリン・ローズベルトはラジオを通じて1941年12月7日は「恥辱の日として記憶されるだろう」という有名な演説をした。この演説により日本との開戦に積極的でなかったアメリカの世論は開戦支持に変わり、多くの日系アメリカ人が収容所に入れられる時代が始まったのだ。

真珠湾攻撃によりアメリカ軍が受けた人的、物的な被害はたしかに大きかったが、その回復は早かった。早くも1942年にアメリカ軍はミッドウェー海戦で日本の帝国海軍を破っているが、ここで日本が敗北したことが太平洋地域の戦況を決定づけたことは、後世の多くの歴史家が認めるところだ。その3年後にアメリカの戦闘機B29がリトルボーイとファットマンと名づけられた原子爆弾をそれぞれ広島と長崎に落としたことで、太平洋戦争は事実上終わったのだった。

9個の単語だけの短い電報をうったローガン・ラムジー少佐には、その事件をきっかけに何が起こるかを知る由もなかった。しかし彼が真珠湾で始まりを目撃した戦争は、日本の昭和天皇が「悲惨な結果をもたらす新型爆弾」と言及したものがもたらした広島と長崎の悲劇で幕を閉じたのだった。

日本の航空機の爆撃を受けて炎上し、爆発したアメリカ海軍駆逐艦ショー。

069

ナイ将軍がアレクサンダー将軍に偽の手紙を……潜水艦で送る

［1943年］

第二次世界大戦中にイギリス情報部が実施して大成功を収めた偽装作戦のひとつに、身元を偽装した死体を使ってヒトラーを欺き、戦況をイギリス優位に導いたミンスミート作戦がある。この作戦にはスペインの漁師、怒った銀行員、小説ジェームズ・ボンドシリーズの作家イアン・フレミングも一役買っていた。

作戦の目的は、連合軍がサルデニア島とギリシアに軍隊を上陸させて戦線を開くつもりだとドイツ軍に信じさせることで、方法としては偽の極秘情報を記した手紙を死体に持たせてスペインの領海に流すことになった。手紙の宛先はアルジェリアとチュニジアの英米連合第18軍の指揮官、ハロルド・アレクサンダー卿とされた。

この作戦が最初に提案されたのは1939年で、当時の海軍情報部長ジョン・ゴドフリー少将と部下のイアン・フレミング少佐——戦後にジェームズ・ボンドシリーズを書いた——が考案したもののひとつだった。ふたりが記したメモでは作戦をマス釣りにたとえ、偽の情報をエサに敵を釣りあげる作戦がいくつか書かれていた。死体にワナをしかけるアイディアもその中にあったのだ。

マス釣りのメモからヒントを得た情報部の士官チャールズ・チャムリーとユーエン・モンタギューは、中立国スペインで活動するドイツ情報部を手玉にとる作戦を考えた。使われた死体は、数か月前に誤って殺鼠剤を飲んで死亡したウェールズ人の浮浪者グリンドゥール・マイケルのものだ。保管所から持ち出されたマイケルの遺体にはイギリス海兵隊大尉ウィリア

[上]偽装した死体をスペイン沖まで運んだイギリス軍の潜水艦セラフの乗員たち。これは1943年12月に撮影された写真で、右からふたり目が艦長のノーマン・ジュエル大尉。[左]架空の人物ウィリアム・マーティン大尉の架空の恋人パムの写真。この写真も他の偽装書類とともに死体の札入れに入れてあった。

ム・マーティンという名前が与えられた。マーティンになった遺体が身につける札入れには、彼を実在の人間と信じさせるために綿密に偽造された書類——恋人の写真、ラブレター、婚約指輪を買ったときの領収書、預金の残高不足をとがめる銀行員からの通知——が入れてあった。

肝心の偽情報をふくむ手紙についてはいくつもの案が出されたが、いかにも本物らしく見えるものはなかなかできなかった。最終的に採用されたのは、偽の侵攻作戦を書いた手紙は、作戦を詳しく知る立場にあるイギリス参謀本部副参謀長アーチボルド・ナイ中将が個人的立場で書いたものとする案だった。手紙の信憑性を補強するため、イワシ(サーディン)とサルデニア島をかけた駄洒落を書いた手紙も付けくわえられた。いかにも内輪話らしい口調で、北アフリカでアメリカ軍と行動を共にしていたイギリス軍人にアメリカのパープルハート章(名誉負傷章)が与えられたのはどうかと思う、と書いたくだりまであった。

遺体は手入れしてイギリス海軍の制服を着せられた。制服はあらかじめチャムリーが3週間着ておいたので、ほどよくくたびれた風合いになっていた。あいにく軍が支給する下着が不足気味で入手できなかったので、死体には使い古しのウールのパンツをはかせておいた。これはひとつの不安要素ではあったが、幸いなことに誰にも疑われなかった。

グリンドゥール・マイケルが死亡してからこの作戦を実行するまでにはかなり長い時間が経過していたので、潜水艦でスペイン海域まで運ぶあいだもできるだけ死体が傷まないように細心の注意が払われた。革をかぶせた鎖でブリーフケースを手首に結びつけているマーティン大尉は飛行機が海上で墜落事故を起こしたために溺死したという設定のもと、スペイン南西部ウェルバ沖を漂流していた遺体はスペイン人漁師の網にかかった。腐敗が進み始めていた遺体は急ぎ埋葬され、身につけていた書類は中立国スペインで活動していたドイツのスパイ、アドルフ・クラウスの手にわたった。

イギリス情報部が書類の回収に必死になっている様子を見せていたので

In reply, quote S.R.1924/43

Telephone
WHitehall 9777

COMBINED OPERATIONS HEADQUARTERS,
1A, RICHMOND TERRACE,
WHITEHALL. S.W.1.

21st April,
1 9 4 3.

Dear Admiral of the Fleet,

I promised V.C.I.G.S. that Major Martin would arrange with you for the onward transmission of a letter he has with him for General Alexander. It is very urgent and very "hot" and as there are some remarks in it that could not be seen by others in the War Office, it could not go by signal. I feel sure that you will see that it goes on safely and without delay.

I think you will find Martin the man you want. He is quiet and shy at first, but he really knows his stuff. He was more accurate than some of us about the probable run of events at Dieppe and he has been well in on the experiments with the latest barges and equipment which took place up in Scotland.

Let me have him back, please, as soon as the assault is over. He might bring some sardines with him - they are "on points" here!

Yours sincerely

Louis Mountbatten

Admiral of the Fleet Sir A.B. Cunningham, G.C.B.,D.S.O.,
Commander in Chief Mediterranean,
Allied Force H.Q.,
Algiers.

札入れにあった偽装書類の1枚。これはルイス・マウントバッテンの署名がある人物証明書で、サーディンの駄洒落が含まれている。

クラウスは書類が偽装とは思わず、偽情報はそのまま上にあげられてヒトラーのもとまで届いた。手紙にあった極秘情報を信じたヒトラーは、ドイツ支配下にあるサルデニア島とギリシアへの攻撃に備えて部隊を配置した。偽装作戦の成功は、ブレッチリー・パークが解読したドイツ軍の暗号によって確認された。この偽装作戦のおかげで、連合軍が本当の目標だったシチリア島を攻撃したときにはほとんど抵抗にあわずにすんだ。

070

オッペンハイマーが原子爆弾開発にゴーサインを告げる手紙を受けとる

［1943年2月25日］

ジェームズ・B・コナントとレスリー・R・グローヴス将軍の連名による微妙な言葉づかいの手紙が、原子爆弾を開発する権限をオッペンハイマーに与えた。注目すべきは、この手紙のどこにも「原子爆弾」という表現が見られないことだ。

グローヴス将軍は核兵器の開発をめざすマンハッタン計画の責任者だった。彼はこうと思ったら自分の考えを貫きとおす一本気な性格で知られていた。彼はそのとき爆弾が欲しかった。そしてロバート・オッペンハイマーが適任だと知るや、ニューメキシコ州ロスアラモスの研究所長にオッペンハイマーを指名する1943年2月25日付の手紙では、彼が共産主義者と付き合いがあるとか、機密保持に関する適格性に欠けるとかいう審査結果はいっさい無視していた。

アメリカ国防委員会のメンバーだったジェームズ・コナントはローズベルト大統領の科学顧問を務めていた。彼は科学を利用する効果的な新兵器の開発にたずさわった経験があり、第一次世界大戦のときにはアメリカ陸軍のために毒ガス兵器を発明していた。核兵器が理論上きわめて有効であることを認識していた彼は、アメリカがその開発の先頭に立つべきだと熱心に主張していた。しかし彼は同時に、兵器開発競争がもたらす危険も理解していた。また彼はハーヴァード大学でオッペンハイマーを教えたことがあった。

J・ロバート・オッペンハイマーは優秀でせっかちな物理学者で、学生時代は左翼的思想を支持していた。彼自身は共産党員ではなかったようだ

PUBLICLY RELEASABLE
OS-6 [signature] 6/4/93

OFFICE FOR EMERGENCY MANAGEMENT

OFFICE OF SCIENTIFIC RESEARCH AND DEVELOPMENT

1530 P STREET NW.

WASHINGTON, D. C.

VANNEVAR BUSH
Director

SECRET

February 25, 1943

CLASSIFICATION CANCELLED

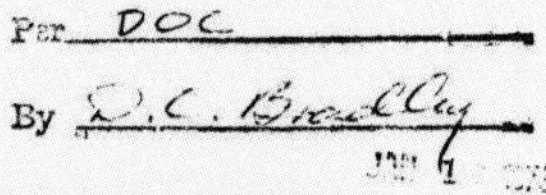

Dr. J. R. Oppenheimer
University of California
Berkeley, California

Dear Dr. Oppenheimer:

We are addressing this letter to you as the Scientific Director of the special laboratory in New Mexico in order to confirm our many conversations on the matters of organization and responsibility. You are at liberty to show this letter to those with whom you are discussing the desirability of their joining the project with you; they of course realizing their responsibility as to secrecy, including the details of organization and personnel.

I. The laboratory will be concerned with the development and final manufacture of an instrument of war, which we may designate as Projectile S-1-T. To this end, the laboratory will be concerned with:

A. Certain experimental studies in science, engineering and ordnance; and

B. At a later date large-scale experiments involving difficult ordnance procedures and the handling of highly dangerous material.

The work of the laboratory will be divided into two periods in time: one, corresponding to the work mentioned in section A; the other, that mentioned in section B. During the first period, the laboratory will be on a strictly civilian basis, the personnel, procurement and other arrangements being carried on under a contract arranged between the War Department and the University of California. The conditions of this contract will be essentially similar to that of the usual OSRD contract. In such matters as draft deferment, the policy of the War Department and OSRD in regard to the personnel working under this contract will be practically identical. When the second division of the work is entered upon (mentioned in B), which will not be earlier than January 1, 1944, the scientific and engineering staff will be composed of commissioned officers. This is necessary because of the dangerous nature of the

オッペンハイマーをある「兵器」を製造する仕事に指名するために書かれた手紙。グローヴスはオッペンハイマーの中に理論物理学者としての業績を十分に評価されていないという不満があることに気づいていた。そしてこの仕事は彼にとってもチャンスだと考えたのだ。

が、彼の友人や仲間の多くは共産党員で、マンハッタン計画に関与していた時期の彼に関するFBIの調査資料は分厚いファイルになっていた。彼はマンハッタン計画に加わるための人物評価の質問票に「西海岸の共産主義前線組織のほとんどのメンバーになっている」と書いていた。それでもグローヴスは、オッペンハイマーをロスアラモスの研究所長に指名したわずか数か月後には「ジュリアス・オッペンハイマーへの機密情報利用許可は、彼に関するどんな情報があろうとそれには関係なく、一刻も早く出してもらいたい。彼はこの計画に絶対に必要なのだ」と指示している。

コナントとグローヴスの連名の手紙は、新しく設立されたロスアラモス研究所の所長としての義務と責任を告げるものだった。仕事の内容については「兵器の開発と製造」という以上のことは秘密にするよう強調されていた。そして取りくむべき仕事としてふたつの項目があげてあった。

J・ロバート・オッペンハイマーとレスリー・グローヴス将軍。のちに書いた著書でグローヴスは「オッペンハイマーには不利な点がふたつあった。ひとつは彼には管理職的な経験がいっさいなかったこと、もうひとつはノーベル賞をとっていなかったことだ」と書いている。考え方の違いはあったが、ふたりは任務に関しては有能なチームだった。

A　ある種の科学、工学、および兵器に関する実験的研究を行う
B　後日、その兵器の使用と非常に危険な物質の取り扱いに関する実験を行う

手紙にはAに関しては非軍事的な仕事だが、Bは明らかに軍事目的の作業なので、それを続ける意志のある民間人は正式に軍籍にもつことになると書いてあった。さらに民間人と軍人が協力する必要性を強調して「グローヴス将軍がこのプロジェクトに参加して以来、そのような協力関係がコナント博士とグローヴス将軍のあいだに存在している」とも書いてあった。

この手紙が書かれた約2年後の1945年7月16日、ロスアラモス研究所はニューメキシコ州の砂漠地帯にあるホルナダ・デル・ムエルト（スペイン語で「死者の旅」の意味）という場所で、世界初の核実験を行った。その3週間後、アメリカ軍のB29エノラ・ゲイが日本の広島に原子爆弾を落とし、住人の3割の命を奪い、建物の7割近くを破壊したのだった。実験後にオッペンハイマーが「私は死神になってしまった。世界の破壊者になってしまった」と言ったとおりだった。

071

J・エドガー・フーヴァーが「匿名の手紙」を受けとる

［1943年8月7日］

第二次世界大戦中のFBI長官J・エドガー・フーヴァーは、ドイツと日本のスパイおよび国内の多くのナチス支持者の監視に忙しかった。そんな彼にアメリカにおけるソ連のスパイ網のすべてを詳細に記した匿名の手紙が届いた。誰が、何のために送ったのか……？

ドイツとの戦争では同盟関係にあったものの、1940年代のアメリカとソ連の関係は友好的ではなく、お互いに信頼していたわけでもなかった。両国のかかげる思想は相反するものであり、どちらもヒトラーを倒したあとの新しい世界秩序を、それぞれの思想の上に作りあげようとしていた。どちらも相手にスパイ網をはりめぐらせており、相手が同じことをしているのも知っていた。

1943年、FBI長官J・エドガー・フーヴァーは国内にいるスパイの可能性のある人物を監視する仕事の責任者だった。西はヨーロッパ、東は太平洋地域で戦争を続行していたアメリカは、国内にひそむドイツと日本の協力者の危険性を熟知していた。そうした状況下でFBIのオフィスに匿名で届いた8月7日の消印が押された手紙には、アメリカ国内で活動するソ連スパイ網の詳細が記されていたのだ。

フーヴァーにとっては思いがけない幸運だった。手紙にはアメリカおよびカナダ国内にいるソ連のシニアエージェント133名の氏名が明かされていた。それだけでなく、そのグループのリーダーであるエリザベータとワシリーのザルービン夫妻は、アメリカと戦争中である日本、ドイツ、イタリアのためにもスパイ活動をしていると訴えていた。

その情報は確かなのか？　リストにあったいくつかの氏名は、軍の最高機密になっているプロジェクト——FBIですら知らされていない（マンハッタン計画のことだ）——に侵入しているソ連スパイの調査にもすでに含まれていた。手紙の差出人はKGB内部の人間だと思われたので、FBIはリストにあったスパイかもしれない人物の行動監視を始めた。

ワシリー・ザルービンは1941年秋にアメリカに潜入したKGBスパイ網の長になった。1943年には重要な軍需産業の内部に共産党支持者の組織を作る目的でカリフォルニアに行っている。

1944年になって事態は思いがけない展開を見せた。モスクワのヨシフ・スターリンのもとにFBIのリストに載っていた人物のひとりワシリー・ミロノフからの手紙が届いたのだ。ソ連大使館二等書記官としてアメリカに潜入していたミロノフは、ザルービン夫妻をFBIに雇われた二重スパイだと告発していた。ソ連としては容易には信じられない告発だったが、アメリカに潜入しているソ連のスパイがアメリカ側の監視対象になっていることは確かだと思われたので、ミロノフとザルービン夫妻および一部のスパイを本国に呼びもどし、ミロノフの申し立てについて独自に調査を始めた。

尋問の過程でザルービン夫妻は完全に潔白だと証明され、ミロノフが統合失調症であることがわかった。彼は「粗野で、礼儀知らずで、下品な言葉や卑猥な言葉を使い、仕事においては慎重さに欠け、過度に秘密主義な」上司ワシリー・ザルービンを忌み嫌っており、それについては以前モスクワに訴えたこともあった。確証は得られなかったが、自分の氏名も含めたソ連スパイのリストを匿名でフーヴァーに送ったのはミロノフだった可能性が高い。

正体が明かされてアメリカでの活動が不可能になったザルービンは、本国で対外情報部の副主任となった。ミロノフには重労働の刑が科せられたが、モスクワのアメリカ大使館にさらに情報をもらそうとしたため、国家反逆罪で銃殺された。

~~TOP SECRET~~

Mr. HOOVER,

Exceptional circumstances impel us to inform you of the activities of the so-called director of the Soviet Intelligence in this country. This "Soviet" intelligence officer genuinely occupies a very high post in the GPU (now NKVD), enjoys to a vast extent the confidence of the Soviet Government, but in fact, as we know very accurately, works for Japan himself, while his wife (works) for Germany. Thus, under cover of the name of the USSR, he is a dangerous enemy of the USSR and the U.S.A. The vast organisation of permanent staff [KADROVYE] workers of the NKVD under his command in the U.S.A. does not suspect that, thanks to the treachery of their director, they are also inflicting frightful harm on their own country. In this same false position is also their whole network of agents, among whom are many U.S. citizens, and finally BROWDER himself, who has immediate contact with them. BROWDER passes on to him very important information about the U.S.A., thinking that all this goes to MOSCOW, but, as you see, it all goes to the Japanese and Germans. ¶ The "Director of the Soviet Intelligence" here is ZUBILIN, Vasilij, 2nd secretary in the embassy of the USSR, his real name is ZARUBIN, V., deputy head of the Foreign Intelligence Directorate [UPRAVLENIE] of the NKVD. He personally deals with getting agents into and out of the U.S.A. illegally, organises secret radio-stations and manufactures forged documents. His closest assistants are:

1. His wife, directs political intelligence here, has a vast network of agents in almost all ministries including the State Department. She sends false information to the NKVD and everything of value passes on to the Germans through a certain Boris MOROZ (HOLLYWOOD). Put her under observation and you will very quickly uncover the whole of her network.

2. KLARIN, Pavel, vice-consul in NEW YORK. Has a vast network of agents among Russian emigrés, meets them almost openly, brings agents into the U.S.A. illegally. Many of his agents work in very high posts in American organisations, they are all Russian.

3. KhEJFETs - vice-consul in SAN FRANCISCO, deals with political and military intelligence on the West Coast of the U.S.A. has a large network of agents in the ports and war factories, collects very valuable strategic material, which is sent by ZUBILIN to Japan. Has a radio station in the consulate. He himself is a great coward, on arrest will quickly give away all the agents to save himself and remain in this country.

4. KVASNIKOV, works as an engineer in AMTORG, is ZUBILIN's assistant for technical intelligence, through SEMENOV - who also works in AMTORG, is robbing the whole of the war industry of America. SEMENOV has his agents in all the industrial towns of the U.S.A., in all aviation and chemical war factories and in big institutes. He works very brazenly and roughly, it would be very easy to follow him up and catch him red handed. He would just be glad to be arrested as he has long been seeking a reason to remain in the U.S.A., hates the NKVD but is a frightful coward and loves money. He will give all his agents away with pleasure if he is promised an American passport. He is convinced that he is working for the USSR, but all his materials are going via Z. to Japan, if you tell him about this, he will help you find the rest himself.

[Continued overleaf]

DECLASSIFIED BY _____
ON _7-10-96_

~~TOP SECRET~~

第二次世界大戦中のアメリカ国内におけるソ連のスパイ活動を明かした「匿名の手紙」。

072

難破したJ・F・ケネディは生死のかかったメッセージをふたりのソロモン諸島人に託す

［1943年8月］

短い在任中、ジョン・フィッツジェラルド・ケネディ大統領は、執務室の机にヤシの実の殻の一部を飾っていた。彼はそれを文鎮がわりに使っていたが、そのヤシの実の殻はケネディ大統領にとって忘れられない重要な役割を果たしたものだった。その殻が彼の命を救ったのだ。

1943年当時、のちの第35代アメリカ大統領ケネディは26歳の海軍大尉だった。彼は哨戒魚雷艇PT109の艇長として、南太平洋ソロモン諸島の沖で日本軍の輸送船団に対する攻撃に参加していた。攻撃は失敗に終わり、8月2日早暁に彼の艇は日本の駆逐艦天霧（あまぎり）に衝突されて沈没した。衝突の衝撃とその後に起きた爆発でふたりの部下が死亡し、何人かが負傷した。そして乗組員全員が燃料油におおわれた海に投げだされた。

船が沈むのを見届けたケネディは生き残った部下を励まして約5.6キロの距離を泳ぎきり、プラム島という小島に着いた。ハーヴァード大学の水泳チームのメンバーだったケネディは負傷した部下のひとりの救命胴衣のひもを歯にくわえて泳いでいた。

島に生えていたヤシの実でしばらくはなんとか飢えをしのいだものの、幅が約100メートルしかないその小島にいつまでもいれば、いずれ飢え死ぬことになりそうだった。こんなに孤立したちっぽけな島にいても発見され救助される可能性はほとんどないと考えたケネディは、もっといい島が近くにないか、あるいはうまくいけば海軍の船が見つけてくれないか、と期待して何度か島の周囲を泳いでみた。

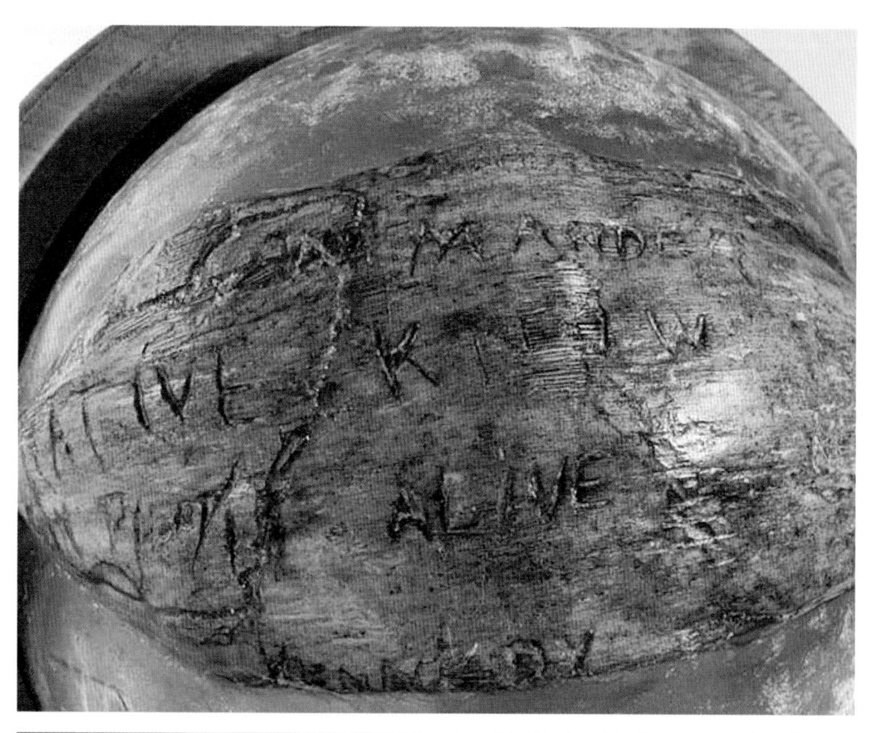

［上・左］文鎮の中に収められたヤシの実の殻は、大統領執務室の机の上に大切に飾ってあった。

その結果、一同はもう一度へとへとになるまで泳いで、前よりは大きいが、やはり無人の島に移った。そしてその島にいる彼らを、たまたまカヌーで通りかかったふたりのソロモン諸島の住人エロニ・クマナとゴウク・ガサが発見したのだ。PT109の乗組員にとって幸いだったことに、ソロモン諸島の住人たちは日本軍より連合軍に好意的だった。

言葉は通じなかったが、ケネディはなんとかクマナとガサに、レンドヴァ島のアメリカ軍基地にメッセージを届けてほしいと伝えることができた。そしてヤシの実の殻にナイフで伝言を刻みつけ、ふたりに託したのだ。メッセージは短いが要を得たものだった。「ナウロ島、司令官、原住民が場所を知っている、生存者11名、ボートが必要、ケネディ」

クマナとガサが身の危険を感じながらもメッセージをレンドヴァに届けてくれたおかげで、すぐにケネディと乗組員を救助するためのボートが派遣された。その後ケネディは恩人のふたりに会うことはなかったが、3人で手紙のやりとりを続け、ふたりのソロモン諸島人はその後も長く生きていた。ケネディは一躍ヒーローとなって海軍と海兵隊から勲章を受け、さらに負傷兵に贈られるパープルハート章も受けた。そしてヤシの実の殻の一部を個人的な思い出の品として大切にしていた。

1960年の大統領選では海軍時代の功績が彼の有利に働いたが、本人は戦争中の行為を誇ってはいなかった。人にどうしてあのような英雄的行為ができたのかと問われれば、彼は「あれは不本意なことだった。私の船は沈められたのだ」と答えるのが常だった。

哨戒魚雷艇PT-109に乗るケネディ大尉。

073

チトー元帥はスターリンに暗殺チームの派遣をやめろと警告する

［1948年］

第一次世界大戦で戦い、第二次世界大戦では共産主義のパルチザンを指揮して枢軸国の占領軍撃退のために戦って、戦後にユーゴスラヴィア大統領となったヨシップ・ブロズ・チトーは歴戦の勇士だった。彼はユーゴスラヴィアを衛星国のひとつに組みいれようとするソ連に抵抗し、独自の社会主義国家への道を歩もうとしていた。

さまざまな民族が住み、さまざまな政治形態をもつ小国が分立して常に不安定な状態にあるバルカン半島の情勢は、ソ連と他の共産主義国との緊張関係によってさらに複雑さを増していた。とりわけ第二次世界大戦後のソ連とユーゴスラヴィアの関係は非常に緊迫していた。当時ユーゴスラヴィアはチトーの強力なリーダーシップのもとで、スラヴ系の諸国――現在のボスニア・ヘルツェゴヴィナ、クロアチア、マケドニア、スロヴェニア、セルヴィア――による連邦を成立させていた。

1948年の時点では、ソ連とユーゴスラヴィアはお互いに相手の共産主義思想を誤りだと批判しあっており、スターリンはユーゴスラヴィア攻撃を考え、

第二次世界大戦中に撮影されたチトー元帥。彼は非常に優秀なゲリラ部隊(パルチザン)を率いていた。

1953年にスターリンが死去したあと、後任のフルシチョフとチトーの関係は良好だった。フルシチョフはユーゴスラヴィア型の市場社会主義にほとんど異議を唱えなかった。

それに踏みきるかわりに繰りかえしベオグラードに暗殺者を送りこんでいた。スターリンのあとにソ連の首相を務めたニキータ・フルシチョフは、スターリンがかつて「この私が小指を一本動かすだけでチトーはこの世から消える」と言ったことがある、と語っている。ソ連情報部は22回チトー暗殺を企んだとも伝えられている。彼らは爆弾やライフルを使う方法はもとより、毒ガスやペスト菌を使う計画まで考えていたらしい。

それに関して、ある書類が発見されている。ソ連の独裁者ヨシフ・スターリンが1953年に死去したあと、彼の私的な遺品の中から1通の手紙が見つかった。ユーゴスラヴィア大統領チトーからスターリンに宛てられた

ベオグラードで会談するヨシップ・ブロズ・チトー大統領と、ベトナム共産党の主席ホーチミン。

その手紙には

> スターリン、私を殺すために人を送りこむことは止めたまえ。われわれはすでに5人（ひとりは爆弾、残りはライフルでねらってきた）の刺客を捕えている。君が今後も暗殺者を送り続けるなら、私もひとりモスクワに派遣する。ひとり行かせれば次は必要ないだろう。

このチトーの手紙からは大胆さと知性のきらめきが感じられる。スターリンとは冷静に議論することは無理だと言われていた。議論において意見が異なればたとえ相手が友人であっても激しく反論し、場合によっては殺してしまうことさえあった。国家がもたらした飢餓に関する議論でも、強制収容所の過酷な状況についてでも、集団主義化の影響についてでも、あるいは死刑の執行についてでも、スターリンにさからえばだれでも容赦なく殺されると恐れられていた。意見の相違によってスターリンに殺された人間は2000万人近いとも言われている。

しかし意志の強さではチトーも負けなかった。第二次世界大戦中の功績もあって、チトーはユーゴスラヴィアを構成するさまざまな民族を、軍事力と交渉を巧妙に組みあわせて使い、ひとつにまとめていた。たしかに彼は力で抑圧することを嫌ってはいなかったし、反対派の粛清もいとわなかったが、ユーゴスラヴィアを構成するいろいろなグループからの相反する要求に、うまくバランスをとって対応していた。スターリンは無慈悲な激情家だったがチトーは緻密な策謀家だった。

チトーはスターリンの死後も27年間生きていた。1980年に、血栓により左脚が壊死したことが原因となって87歳で死去した。ペスト菌や銃弾を使って暗殺されるよりは穏やかな死だった。20世紀末に起こった紛争でユーゴスラヴィア連邦が分解したときには、チトーの巧みな交渉術をなつかしんだユーゴスラヴィア人も多かったはずだ。

074

リリアン・ヘルマンはマッカーシー上院議員に手紙とメッセージを送る

［1952年5月19日］

リリアン・ヘルマンはアメリカの有名な劇作家で、左翼的思想をもっていることで知られていた。演劇界で仕事をしていた多くの人間がそうだったように、ジョー・マッカーシー上院議員が主導した「赤狩り」のさなかに、彼女も下院非米活動委員会（HUAC）での証言を求められた。

第二次世界大戦の終結が見えてくると、アメリカとソ連が新しい世界秩序における覇権を争い始めた。ふたつの超大国が、かつて存在した大帝国が分裂して新しく生まれた国々の政府を、自分の側に引きこもうとしたのだ。米ソは互いに相手の欠点を攻撃していた。

ソ連の影響が世界各地に広まるにつれて、アメリカ国内では共産主義化への恐怖心が高まっていた。1945年に西側に亡命したふたりのソ連人スパイが、アメリカにおけるソ連のスパイ活動の広がりを暴露するという大事件が起こってからはなおさらだった。1949年に毛沢東が率いる中国共産党が政権を奪取したことは、すでに十分高まっていた社会主義思想に対する偏執的な嫌悪をいっそうつのらせた。

1947年にトルーマン大統領が、公務員雇用のさいに政治団体への加盟の有無を調査する「忠誠度テスト」を導入すると、共産党支持者の摘発が強迫観念となって国中に広がった。クリエイティブな業界、とくに映画、テレビ、文学の世界にはおのずと自由で急進的な思考をする人物が集まっていたので、とくに目をつけられやすかった。破壊活動で告発された人物は、ほとんど病的な興奮状態の中で「陰謀」の仲間を告発するよう迫られた。

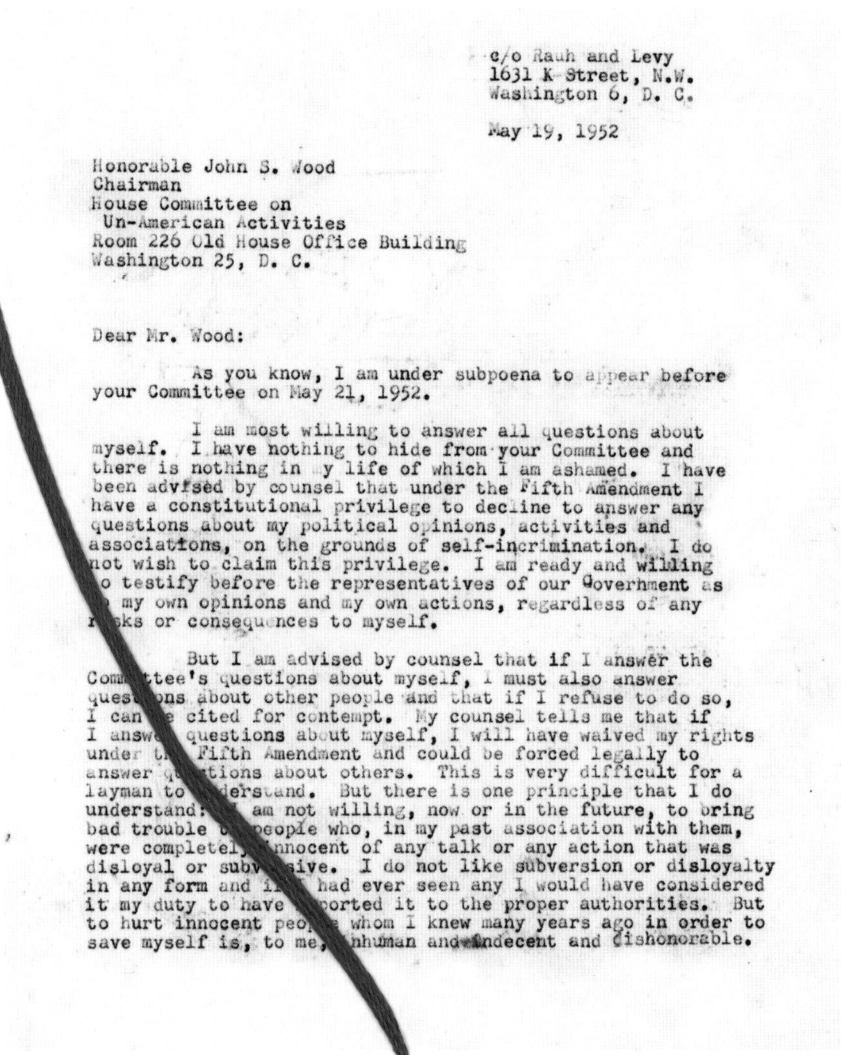
c/o Rauh and Levy
1631 K Street, N.W.
Washington 6, D. C.

May 19, 1952

Honorable John S. Wood
Chairman
House Committee on
Un-American Activities
Room 226 Old House Office Building
Washington 25, D. C.

Dear Mr. Wood:

As you know, I am under subpoena to appear before your Committee on May 21, 1952.

I am most willing to answer all questions about myself. I have nothing to hide from your Committee and there is nothing in my life of which I am ashamed. I have been advised by counsel that under the Fifth Amendment I have a constitutional privilege to decline to answer any questions about my political opinions, activities and associations, on the grounds of self-incrimination. I do not wish to claim this privilege. I am ready and willing to testify before the representatives of our Government as to my own opinions and my own actions, regardless of any risks or consequences to myself.

But I am advised by counsel that if I answer the Committee's questions about myself, I must also answer questions about other people and that if I refuse to do so, I can be cited for contempt. My counsel tells me that if I answer questions about myself, I will have waived my rights under the Fifth Amendment and could be forced legally to answer questions about others. This is very difficult for a layman to understand. But there is one principle that I do understand: I am not willing, now or in the future, to bring bad trouble to people who, in my past association with them, were completely innocent of any talk or any action that was disloyal or subversive. I do not like subversion or disloyalty in any form and if I had ever seen any I would have considered it my duty to have reported it to the proper authorities. But to hurt innocent people whom I knew many years ago in order to save myself is, to me, inhuman and indecent and dishonorable.

リリアン・ヘルマンがHUACに送った手紙のコピー。マッカーシーは彼女にハリウッド関係者の名前を言わせたかったが、彼女は断固として言わなかった。

必死で自分だけは逃れようとした人物に告げ口されて有罪を宣告されれば、今度はその人物が共産主義者のレッテルをはられて仕事を奪われるばかりか、下手をすれば投獄されることさえあった。エンターテインメント

1937年、映画『デッド・エンド』のセットで、脚本の変更についてウィリアム・ワイラー監督と話し合うリリアン・ヘルマン。

業界でも何人かの有名人――歌手のポール・ロブソン、俳優のエドワード・G・ロビンソン、作曲家のレナード・バーンスタインなど――が槍玉にあげられた。リリアン・ヘルマンが左翼思想の支持者であることはすでに知られていたので、HUACで証言するよう呼びだされた彼女は、何を尋ねられるかわかっていた。彼女はHUAC委員長ジョン・ウッドに手紙を書いて協力を拒否する理由を説明した。

手紙には「私は今もこれから先も、私がこれまでかかわった中で一度たりとも忠誠に欠けたり破壊的だったりする言葉や行動を聞いたり見たりしたことのない人々を、困難な立場に追いこむことはしたくありません。何年も前から知っている何の罪もない人々を、自分が助かりたいという理由で傷つけることは、浅はかなこと、人間として恥ずべきことに思います」と書いてあった。

「赤狩り」は分別のある民主的な行為ではなく、狂気に近いものだと考える彼女は「まわりの流行に合わせて自分の良心の形を変えることは私にはできないし、変えるつもりもありません」と宣言した。そして自分は非米どころか「古き良きアメリカの伝統の中で……常に真実を述べ、虚偽の証言をせず、隣人に害を与えず、祖国に忠実であれと教えられて育った人間だ」と主張した。

合衆国憲法修正第5条は、告発された人物が自分に不利益な供述を強要されない権利(黙秘権)を認めている。しかしヘルマンは「この委員会が私に他の人々の名前を尋ねることを控えることに同意するなら、私は修正第5条の権利を放棄し、私自身の考えや行動に関するどんな質問にも答えます」と書いていた。

しかしHUACは他人の名前をあげるよう尋ねることを控えなかったので、彼女は修正第5条の権利を行使した。彼女は共産主義支持の罪で有罪となり、ブラックリストに名前を載せられたうえに、彼女の友人関係や行動はFBIに監視されることになった。皮肉なことに、彼女はスターリン支配下のソ連の人々の生活と同じような生活を送るはめになったのだ。それでも彼女はあるジャーナリストのコメントに元気づけられた。それは彼女が修正第5条を根拠にしたあと彼女の耳に入ったコメントで「よかった。やっとこれを使う根性のある人間が現れた」というものだった。

075

ウィリアム・ボーデンはJ・R・オッペンハイマーをソ連のスパイと見なす

［1953年11月7日］

ロバート・オッペンハイマーはアメリカの原子爆弾開発チームを率いた人物だったが、第二次世界大戦後に台頭してきたソ連への脅威と、それに伴う「赤狩り」の時代には、過去のちょっとした共産主義者とのかかわりも誇張され、個人攻撃の材料にされかねなかった。

J・R・オッペンハイマーは「原子爆弾の父」として知られている。彼は第二次世界大戦末期に広島と長崎に投下された爆弾の開発を監督する人物の第一候補だった。マンハッタン計画の責任者グローヴス将軍は、オッペンハイマーが共産主義者と付き合いがあったことにはあえて目をつぶって、彼の機密保持適格性（セキュリティ・クリアランス）を認めていた。

1943年には、彼が共産主義者であるかないかより、戦争を終わらせることのほうが優先されていたのだ。日本への原爆投下によりマンハッタン計画にかかわった科学者たちは国民的英雄になり、オッペンハイマーは有名人になった。しかし10年後の1953年には米ソ冷戦が始まっており、スパイ活動と逆スパイ活動が入り乱れ、FBI長官エドガー・フーヴァーの協力を得たマッカーシー上院議員の偏執症的な「赤狩り」の嵐が吹き荒れていた。

共産主義はもはや見て見ぬふりをしておけばいいものではなく、断固として糾明すべき許しがたい罪になっていた。「原子力に関する上下両院合同委員会」常務理事のウィリアム・ボーデンは、冒頭に「J・ロバート・オッペンハイマーについて」と記したフーヴァー宛の手紙で、オッペンハ

ウィリアム・ボーデンからJ・エドガー・フーヴァーへの手紙

フーヴァー殿

J・ロバート・オッペンハイマーについて

ご存じのように彼は何年も前から、国家安全保障会議、国務省、国防総省、陸海空軍、研究開発委員会、原子力委員会、中央情報局、国家安全保障資源委員会、国立科学財団の重要な活動内容にアクセスする権利を保有してきた。彼のアクセスは軍が開発中の新兵器、全体的な戦争計画の少なくとも概要、原子爆弾および水素爆弾については詳細な情報と備蓄のデータ、CIA情報の基礎となった重大証言の一部、国連およびNATOの活動における合衆国の関与、その他多くの分野における高度の機密情報に及んでいる。

彼がアクセスする範囲が特殊であること、軍事、情報、外交、それに原子力エネルギー関連の大量の書類の管理権をもっていること、さらに彼には科学的知識があって技術的な資料のもつ意味が理解できることを考慮すれば、彼が他の誰よりも国家の防衛と安全に影響するきわめて重大で詳細な情報を外部にもらす立場に数年前からあったし、今もあると考えるのが妥当である。

J・ロバート・オッペンハイマーはいまだ科学の発展に大きな貢献はしておらず、わが国の物理学の世界では二流の部類に入ると思われる。しかし政府の内情の把握、政府高官とのつながり、高次の判断を下すときの影響力などの面から見れば、科学者のみならず、戦後の軍事、原子力エネルギー、情報、外交などの諸分野で決定を下してきたすべての人間のうちでも最上位にいる……

ボーデンの手紙。最後の部分からはオッペンハイマーに対する彼の敵意が感じられる。

イマーに関する疑惑を訴え「ロバート・オッペンハイマーはおそらくソ連のスパイだ」と思われるのでこの手紙を書いたと述べている。

ソ連が1949年に核実験を行い世界で2番目の核兵器保有国になったことで、アメリカの軍事情報がソ連によってスパイされているという危機感はさらに強まった。アメリカ軍にとって脅威だったのは、ソ連の開発速度の速さだった。オッペンハイマーは軍の最高機密にアクセスできる。そういうわけで、ボーデンの告発にはなんの証拠もなかったにもかかわらず、

1949年、アルバート・アインシュタインの70歳の誕生祝いの席で撮影された写真。左からイジドール・イザーク・ラービ、アインシュタイン、R・ラーデンブルク、J・R・オッペンハイマー。1954年の聴聞会のあと、オッペンハイマーの同僚の物理学者でノーベル賞受賞者のI・I・ラービは「……私にはこんな聴聞会にかけられるようなこととは思えない……オッペンハイマー博士ほどの功績をあげた人物に対して……偉大な功績しかないだろうに……私たちは原爆を手に入れ、超強力な爆弾をいくつも手に入れ、それ以上何がほしいと言うのかね、人魚か?」と手厳しくコメントした。

オッペンハイマーに対する疑いは広まった。彼はスパイに違いない。なぜなら「……彼は他の誰よりも国家の防衛と安全に影響するきわめて重大で詳細な情報を外部にもらす立場に数年前からあった」からだ。

マッカーシズムがもたらした熱病に浮かされたような雰囲気の中では、共産主義者であることと共産主義国のスパイであることの区別がつかなくなっていた。オッペンハイマーと共産主義とのかかわりは単に過去の記録に書かれていたことをスパイ行為の証拠としてボーデンがほじくり出してきただけのことだった。ボーデンがあげた証拠はすべて推測と状況証拠にすぎなかった。「彼の妻と弟は共産主義者で……少なくともひとりは共産主義者の愛人がいて……共産党への献金はしていないとしても、隠れたルートで秘かに献金をしている可能性はある」

日本への原爆投下が行われたあとのオッペンハイマーの反応は、ボーデンから見れば彼がスパイであるいちばんの証拠だった。開発者でありながら、彼は原爆がもたらした効果に恐れおののき、ボーデンの言葉を借りれば「この分野の研究にたずさわっている人々を説得して止めさせようとした」。たしかにオッペンハイマーは戦後の水素爆弾の開発には、はっきりと反対を表明していた。それがボーデンの目にはソ連のためにアメリカの兵器開発を遅らせている証拠に映ったのだ。

ボーデンは「J・ロバート・オッペンハイマーはおそらく、かなり断固とした共産主義者であり、みずから望んでソ連に情報を提供しようとしていた可能性がある。したがってソ連からの指示をうけてソ連の軍事、核エネルギー、情報および外交政策に影響をあたえてきた可能性がある」と結論している。広範にわたるこの告発内容に、直接的な証拠は何ひとつなかった。

マッカーシズムの犠牲者の多くがそうだったように、オッペンハイマーもスパイではなかった。しかし彼は1954年に機密保持適格性（セキュリティ・クリアランス）を外され、以後は政府のために働くことはなかった。

076

ジャッキー・ロビンソンがアイゼンハワー大統領に自分たちは待ちくたびれたと告げる

［1958年5月13日］

第二次世界大戦中、多くのアフリカ系アメリカ人が自由と民主主義を守るために国外の戦地に出て戦った。しかし南北戦争後に奴隷制度が廃止されてから1世紀近くたってもアメリカ国内で白人と同じ権利を認められていないことは事実であり、野球のスター選手ジャッキー・ロビンソンはその苦く不公正な現実を追及しようとした。

第二次世界大戦から復員した野球選手ジャッキー・ローズベルト・ロビンソンは、1947年に黒人だけがプレーする差別的なニグロリーグでなく、それまで白人選手しかいなかったメジャーリーグでプレーする最初の黒人選手となって、人種差別の壁をひとつ打ちこわした。彼はその後に受けたいじめにも冷静に品位をもって耐え、人種問題における希望の象徴となった。

50年代から60年代にかけての市民権運動は、いつまでも続く差別に対する不満の高まりを結集し、白人と同等の権利を要求するものだった。ロビンソンは1956年から1972年にかけての現役時代にも引退後にも、なぜ平等を確立するのにこれほど時間がかかっているのかと問いかける手紙を歴代の大統領に送り続けた。中でもいちばん有名な手紙は、1958年にアイゼンハワー大統領がアフリカ系アメリカ人に向かって忍耐を求める発言をしたあとにロビンソンが書いたものだ。

彼は大統領に、アフリカ系アメリカ人は「世界一忍耐強い人々」であることを思いだしてほしいと書き、率直かつ雄弁に「1700万人の黒人は、あなたの求めにしたがって人の心が変わるまでいつまでも待ち続けることはで

ジャッキー・ロビンソンは、ニューヨークを本拠地としていた時代のドジャースでプレーしていた。

きません。私たちはアメリカ国民として当然あるはずの権利を、今すぐ欲しいのです」と書いた。

ロビンソンの言うとおりだった。現に強硬派のアーカンソー州知事オーヴァル・フォーバスは現状維持を主張し、いかなる法改正も無効としていた。フォーバスは1957年9月には学校における差別廃止を命じた最高裁判所の裁定を無視して、リトルロック・セントラル高校に入学した9人の黒人学生の登校を阻止しようとして起きた暴動に州兵を出動させるという事件を起こしたのだ。

アイゼンハワーは「法律によって人の心を変えることができる」とは信じられず、時間をかけて少しずつ変えるしかないと考えていた。それでも彼は黒人生徒たちを守るために連邦軍を出動させて校内に入る黒人生徒を守り、最高裁の裁定を支持した。

Telephone
MUrray Hill 2-0500

425 LEXINGTON AVENUE
New York 17, N. Y.

THE WHITE HOUSE
MAY 14 11 36 AM '58
RECEIVED

May 13, 1958

The President
The White House
Washington, D. C.

My dear Mr. President:

I was sitting in the audience at the Summit Meeting of Negro Leaders yesterday when you said we must have patience. On hearing you say this, I felt like standing up and saying, "Oh no! Not again."

I respectfully remind you sir, that we have been the most patient of all people. When you said we must have self-respect, I wondered how we could have self-respect and remain patient considering the treatment accorded us through the years.

17 million Negroes cannot do as you suggest and wait for the hearts of men to change. We want to enjoy now the rights that we feel we are entitled to as Americans. This we cannot do unless we pursue aggressively goals which all other Americans achieved over 150 years ago.

As the chief executive of our nation, I respectfully suggest that you unwittingly crush the spirit of freedom in Negroes by constantly urging forbearance and give hope to those pro-segregation leaders like Governor Faubus who would take from us even those freedoms we now enjoy. Your own experience with Governor Faubus is proof enough that forbearance and not eventual integration is the goal the pro-segregation leaders seek.

In my view, an unequivocal statement backed up by action such as you demonstrated you could take last fall in deal-

MAY 26 1958

ロビンソンが使ったビーズを並べたようなロゴのついた便箋は、ロビンソンが副社長を務めていたニューヨークのコーヒー店のものだった。

「大統領自身も見たフォーバス知事の行動こそ、差別維持派の政治家たちには寛容な心によって最終的な差別の解消を実現する気などまったくないことの証拠だ」とロビンソンは大統領に鋭く迫った。

ロビンソンから見れば、アイゼンハワー大統領は「常に寛容を説き続けることで、無意識のうちに黒人たちの自由を求める気もちをくじき、フォーバス知事のような差別維持派の政治家には、現在私たちが享受している自由さえ取りあげることができるという誤った希望を与えている」としか思えないのだ。

ロビンソンは大統領に、アーカンソーの事件のときのように必要に応じて言葉を力で守ってほしいと訴え、それは「アメリカは——近いうちに——黒人たちに憲法で認められている権利を完全に認めると固く決意していることを広く知らせる」ことにつながると書いた。

1919年にジョージア州の小作農の家に生まれたロビンソンは、1972年に死去する前に大きな変化を見ることができた。しかし彼が21世紀まで生きたとしても、まだ彼が大統領に手紙を書く理由はなくなっていなかったかもしれない。

077

ウォーレス・ステグナーが アメリカの原野に捧げる賛歌を書く

[1960年12月3日]

アメリカの国土に広がる原野をどう管理していくべきかを考察するため、1950年代に「屋外レクリエーション資源調査委員会」(ORRRC)が設立された。1960年、ピューリッツァー賞作家で環境保護論者の先駆けでもあったウォーレス・ステグナーはその委員会に宛てた手紙で彼の考えを述べた。

心にしみる美しい言葉で語り、熱をこめて持論を展開したステグナーの「原野に捧げる言葉 A Word for Widerness」は、レクリエーションのために自然豊かな場所を保存してほしいという請願をはるかに超越したものだった。彼は原野の存在自体を巧みな言葉で、「手で触れることのできない精神的な資源」と表現し、抽象的な概念である「アメリカらしさ」の根源だと語る。ステグナーは原野の存在こそがアメリカの歴史、アメリカ人の気質、アメリカ人らしさを形成したのだと言う。開拓者の先人たちが「原野におおわれた国土に斧をふるい焼きはらって作った道を進む過程で、原野のほうも彼らに影響を与えてきた」と語るステグナーは「原野を破壊すれば私たちの国民性を形成した根源そのものを破壊することになる」からこそ、原野は保存しなければならないと論じたのだ。

原野を保存しなければ、アメリカ人の魂が失われることになると考える彼は「残っている原野がなくなってしまえば、アメリカ国民の中にある何かが失われることになるでしょう」と書いた。そしてアメリカ人の愛国心に訴えるために、原野の汚染を許せば「アメリカ人はもうこの国の中で、騒音や排気ガスや人間や車がまき散らす汚れた物から逃れる場所がなくなってしまうのです」とも書いた。ステグナーにとって原野は再生、復活、清浄のみなもとであり「アメリカ人は……常に自然の中で再生する文明人」なのだ。それとは対照的に進歩は、良くても「フランケンシュタインの怪物のように、私たちを脅かす存在になる」だろうし、悪ければ世界を汚染しつくすだろう。現に「アメリカの技術文化は……清浄な大地も、清浄な夢も汚してきた」のだから。

それならどうすればいいのか？ 「汚染をくい止める方法のひとつは、自然界とつながり続けることだ」とステグナーは考えている。「私たちには、自然と共にあることによって得られる魂の再生が必要なのだ」

原野のもつ力は偉大だから「実際に原野に足を踏みいれることはなくても、そこに原野が存在することを思い出して安心するだけでも、私たちの精神は癒される」と彼は言う。子どものころに見た広大な草原や果てしない砂漠の記憶は、その人の心をささえ、癒してくれる。「人は自然の中に、その人なりの神に近いものを見る」のだ。ステグナーは宗教を必要と

ユタ州で育ったウォーレス・ステグナーは、アメリカ国内でも有数の広大な原野と身近に接していた。ユタ大学は2010年に環境問題に関する出版物に与えられるウォーレス・ステグナー賞を設け、ユタ大学出版部が管理している。

ウォーレス・ステグナーから
カリフォルニア原野調査センターのディヴィッド・E・ペソネンへの手紙

ペソネン殿

あなたがORRRCの報告書の原野に関する部分を担当されるとのことなので、この手紙を書いています。できればここで、これまでほとんど全く考慮されてこなかった原野の保存とレクリエーションとの関係のあり方についての私の意見をお伝えしたいと思います。もちろん狩猟、魚釣り、ハイキング、登山、キャンプ、写真撮影、景観を楽しむことなどはすべて、報告書の内容に含まれることでしょう。原野が果たす遺伝子の多様性を維持する役割や、自然界のバランスとそれを乱す人工物との兼ねあいの問題についても含まれることと思います。

私が語りたいのは原野という資源をどう利用するか、それにどんな価値があるかという問題ではなく、むしろ原野が存在すること自体が資源なのだということです。それは手で触れることも目で見ることもできない精神的な資源、具体的な効果を追求する人間から見れば神秘的としか言えないものです。原野の存在自体が今の私たちの国民性の形成にかかわってきたもの、私たちの国民としての歴史を形作ってきたものだと私は申し上げたい。それは教会が私たちのレクリエーションと関係がないのと同じように、レクリエーションと切り離しても存在するもの、あるいは歴史家が「アメリカンドリーム」と呼ぶ精力的で楽観的で開放的な気質がレクリエーションとは無関係であるのと同じように、レクリエーションとは無関係のものなのです。しかしながら今回の報告書で原野の存在価値について言及されるのはあなたが担当するレクリエーションに関する部分しかなさそうなので、どうかこの私の見解をその中に組みいれていただきたい。

残っている原野がなくなってしまえば、アメリカ国民の中にある何かが失われることになるでしょう。今ここで最後の原生林が切り倒され、コミック本やプラスチックの煙草ケースにされることを許してしまえば、わずかに残った野生動物を動物園に入れたり、絶滅させてしまったりしたら、最後に残された清らかな空気を汚染し、最後の清流を汚したら、最後の静けさの中に舗装道路を通してしまったら、アメリカ人はもうこの国の中で、騒音や排気ガスや人間や車がまき散らす汚れた物から逃れる場所がなくなってしまうのです。そして私たちは、自分たちがこの世界の中に独自の立ち位置をもつ国民だと実感するチャンスを永遠に失い、自分たちが木々と土と岩のある環境の一部であると、他の生き物たちと共に生きる兄弟なのだと、自分たちは自然界の一部であり、そうである資格を与えられているのだと実感するチャンスを永遠に失うことになるのです。残っている原野がなくなれば、私たちは完全に、一瞬たりとも立ちどまって考えたり休息したりする機会のないまま、技術に支配されてただ生きるだけの、人間の手でコントロールされた環境の中でハクスリーの小説『素晴らしい新世界』さながらの生活に突き進むしかなくなるでしょう……

しない読者のために、原野に立てば人はだれでも「ほかのどこにいる時よりも自分の内面を深く見つめることができる」と書くことも忘れなかった。

精神的な再生という考えが国の政策に反映されることは滅多にない。しかしステグナーの手紙は違った。彼の手紙は内務長官の目に留まり、原野に関する会議の席上での演説に引用されたのだ。新聞各紙がそれを掲載し、ORRRCの報告書にも入れられた。その少しあと、リンドン・ジョンソン大統領は原生自然法の草案に署名し、それをきっかけに原生自然地域保全法が成立した。

ステグナーの手紙はステグナーの人生における体験を濃縮し、純化して生まれたものだった。それから何世代も経過した現在のそして未来のアメリカ人は、彼の手紙のおかげで原野の——ステグナーの言葉を借りれば「希望の大地」の——恩恵を受けることができるのだ。

078

ネルソン・マンデラが南アフリカ首相に最後通牒を送る

[1961年6月26日]

1961年には、ネルソン・マンデラは南アフリカにおけるアパルトヘイト反対活動の強力な指導者となっていた。首相ヘンドリック・フルウールトが南アフリカ共和国の成立を宣言したとき、マンデラは彼に新しい多人種国家を作るチャンスを与えた。

南アフリカの1960年代は波乱含みで始まった。旧イギリス植民地連合に属していた南アフリカだったが、南アフリカ議会で演説したイギリス首相ハロルド・マクミランは「変化の風」が吹いていると言ってアパルトヘイトを批判した。同じ1960年には、シャープビルの町でデモに参加していた69人のアフリカ人が殺される「シャープビル虐殺事件」が起こったことで南アフリカ政府は世界中から批判を浴び、南アフリカ産の品物のボイコット運動が起こった。

当時は南アフリカ連邦という国名だったその国で、少数派であるヨーロッパ系住民はそれまでの優位な立場を脅かされ、世界から孤立していた。そのような状況下で国民投票が行われ、南アフリカはイギリス植民地連合を脱退して共和国となった。ネルソン・マンデラは1961年にアフリカ民族会議の大会を開き、少数派ヨーロッパ系住民による支配を永続させようとする作戦であることが明らかな新政府の政策に反対する方法について議論した。そして4月、マンデラはフルウールト首相に「人種差別を禁ずる民主的な南アフリカ共和国憲法を起草するための、主権を有する多人種による国民会議」を招集するよう求める手紙を書いた。

彼はその手紙の要求が認められることを期待してはいなかった。共和国

7252
世界を変えた100の手紙 下

愛読者カード　コリン・ソルター 著

より良い出版の参考のために、以下のアンケートにご協力をお願いします。＊但し、
後あなたの個人情報(住所・氏名・電話・メールなど)を使って、原書房のご案内な
を送って欲しくないという方は、右の□に×印を付けてください。　□

リガナ
名前　男・女（　歳）

住所　〒　－

市　町
郡　村
TEL　（　）
e-mail　@

職業　1会社員　2自営業　3公務員　4教育関係
5学生　6主婦　7その他（　）

買い求めのポイント
1テーマに興味があった　2内容がおもしろそうだった
3タイトル　4表紙デザイン　5著者　6帯の文句
7広告を見て（新聞名･雑誌名　）
8書評を読んで（新聞名･雑誌名　）
9その他（　）

好きな本のジャンル
1ミステリー・エンターテインメント
2その他の小説・エッセイ　3ノンフィクション
4人文・歴史　その他（5天声人語　6軍事　7　）

購読新聞雑誌

書への感想、また読んでみたい作家、テーマなどございましたらお聞かせください。

郵便はがき

料金受取人払郵便

新宿局承認

779

差出有効期限
2024年9月
30日まで

切手をはら
ずにお出し
下さい

160-8791

343

東京都新宿区
新宿一-二五-一三

(受取人)

株式会社 原書房

読者係 行

1608791343 7

図書注文書 (当社刊行物のご注文にご利用下さい)

書　名	本体価格	申込数

お名前　　注文日　年　月

ご連絡先電話番号 (必ずご記入ください)　□自　宅　(　)　□勤務先　(　)

ご指定書店(地区　) (お買つけの書店名をご記入下さい)

書店名　書店(　店)

帳合

ヨハネスブルクの裁判所の外で1952年に撮影されたネルソン・マンデラの写真。マンデラとオリバー・タンボは南アフリカ初の黒人弁護士だけの法律事務所を開いていた。ふたりは1956年に反逆罪で起訴され、タンボは国外へ出たがマンデラは南アフリカに残り、1961年に無罪を勝ちとった。

となった新政府の就任式が行われた1961年5月31日には、全国集会もストライキもなかった。そして6月26日にマンデラは2通目の手紙を書き、あいかわらず国民の8割が抑圧に苦しんでいるとして「軍隊が動員され、軍人でないヨーロッパ系住民も武装した。1万人以上の無実のアフリカ人がパス法［アフリカ系住民に身分証明書の常時携行と提示を要求する法律］違反で逮捕され、国内全域で集会が禁止された」事実を記した。

そしてそのうえで、マンデラはアフリカ民族会議としての対応を告げたのだ。「政府が新憲法起草のための会議を開かない以上、われわれとしては全国規模の反政府活動を展開するしかない」と。それでも彼はフルウールト首相にそれを避けるための選択肢を残していた。今からでも憲法制定会議を招集し「現行の抑圧的な政策を放棄すれば、あなたにはまだ、この

ネルソン・マンデラからヘンドリック・フルウールト首相への手紙

1961年4月20日付の私の手紙に対し、あなたは失礼にも返信も受けとったという知らせもよこさなかった。その手紙で私は1961年3月26日にピーターマリッツバーグで開催されたアフリカ民族会議の大会における決議、すなわち1961年5月31日までに、人種差別を禁ずる民主的な南アフリカ共和国憲法を起草するための、主権を有するすべての人種による国民会議を招集するよう求める大会決議をあなたに伝えた。

前記の手紙に同封した大会の決議には、指定した期日までに政府が国民会議を招集しない場合、白人政府がわれわれ少数派に不当に与えている差別に抗議するための全国的な活動をすると記してあった。決議にはさらに、抗議活動に加えて、すべてのアフリカ人に共和国政府あるいは名称にかかわらず武力によって政権を保持しているいかなる政府にも、協力しないよう呼びかけるとも記してあった。

政府が私たちの要求を無視したため、大会の決議内容を実行する権限を与えられているアフリカ国民会議は、先月の29、30、31日にゼネラルストライキを呼びかけた。1961年4月20日の手紙で予想したとおり、政府はストライキを武力で抑えようとして、ストライキの計画にかかわった人物を裁判なしで留置できると定める法律の制定を急いで議会に求めた。軍隊が動員され、軍人でないヨーロッパ系住民も武装した。1万人以上の無実のアフリカ人がパス法違反で逮捕され、国内全域で集会が禁止された。

1961年5月29日月曜日、工場の開門時間よりずっと早い時間に、警官とオランダ系住民がストライキは失敗したという嘘の情報を流した。そうした妨害行為にもかかわらずストライキは決行され、私たちを断固支持する国民の姿勢が示された。工場でもオフィスでも、都市でも地方でも、小学校から大学までのあらゆる学校でも、人々は立ちあがり、共和国の政策に対する反対を表明した。

ヨーロッパ系以外の住民が私たちの呼びかけに応じなかったというのは真っ赤な嘘だ。この国の人口の5分の4を占めているアフリカ系住民は、現在の共和国政府に反対していることを率直に認めるべきなのだ……

国を経済的混乱と破滅から救い、国民のあいだの敵意を解消するチャンスはある」と記している。

「あるいは非道で不公正で国内外の何百万もの人々から反対されている現行の政策をあくまでも続けることを選ぶこともできる」と書いたマンデラには、この先どうなるか予想がついていた。「あなたの政府はまたアフリカ人をいっそう激しく痛めつけるだろう。しかし……暴力と欺瞞によって国民の大部分の主張と正当な要求を抑圧しようとする者は、歴史によって裁かれ、罰せられることになる」

この時すでにアフリカ民族会議の武装組織ウムコント・ウェ・シズウェ（民族の槍）を組織していたマンデラは「私たちはあなたの政府に反対行動を開始するつもりだ」とフルウールトに警告した。「民族の槍」は12月に反政府活動を開始し、人間ではなく政府機関の建物をねらった爆弾攻撃を行った。翌年8月、マンデラと仲間の活動家は逮捕され、公開裁判にかけられた。

当然のごとく有罪となったマンデラは27年間刑務所に入っていた。そしてその間に、刑務所外の世界では変化が起きていた。フルウールトは1966年に南アフリカ共産党員の凶漢に暗殺された。釈放されたたマンデラはアパルトヘイトの終わりを見届け、完全に民主化された多人種国家南アフリカ共和国の初代大統領を務めることになる。

079

デッカ・レコードはビートルズのマネージャー、ブライアン・エプスタインに不合格通知を送る

［1962年2月10日］

1961年の大みそか、4人のポップ・ミュージシャンがロード・マネージャーが運転する古いワゴン車に乗ってリヴァプールからロンドンに向かっていた。その翌日、彼らはイギリスの大手レコード会社デッカ・レコードのオーディションを受けた。これが彼らのブレークのきっかけだったのだろうか？　デッカがマネージャーに結果通知を送ったのは、オーディションの6週間近くあとのことだった。

デッカ・レコードで新人発掘を担当していたマイク・スミスは、オーディションの数週間前にリヴァプールの有名なキャヴァーン・クラブに行ってビートルズのステージを生で見ていた。当時はピート・ベストがドラマーを務めていた。彼らのパフォーマンスに将来性を感じたスミスは、1962年1月1日午前11時からロンドンのデッカのスタジオで1時間のオーディションを行うことを約束した。ところがオーディション前日にヴァンに乗ってロンドンに向かった彼らは、到着までに10時間もかかってしまった。運転していたロード・マネージャーのニール・アスピノールが吹雪で道に迷ってしまったのだ。もうひとりのマネージャー、ブライアン・エプスタインは、ひとりで電車に乗ってロンドンに向かっていた。

オーディションは時間どおりには始まらなかった。マイク・スミスは遅刻してきた上に、前夜遅くまで続いた年越しパーティーのせいで少し疲れていた。さらに彼は、ビートルズのメンバーが使い慣れた自前のアンプよりスタジオのアンプのほうが高級なので、そちらを使えと強要した。

やっと準備がととのうと、彼らの良さを十分に発揮できるようにとエプ

スタインが選曲した15曲を一気に演奏した。レノンとマッカートニーによるオリジナルの3曲（「ライク・ドリーマーズ・ドゥ」「ハロー・リトル・ガール」「ラブ・オブ・ザ・ラブド」）と、当時人気のあったソングライター、キャロル・キング、フィル・スペクター、リーバー・アンド・ストーラー、チャック・ベリーなどの曲だ。

オーディションは問題なく終わった。マイク・スミスは合格を予想し、2、3週間後にデッカからの通知を送ると約束した。エプスタインはオーディションの演奏を録音してもらっていた。デッカは「ライク・ドリーマーズ・ドゥ」のアセテート盤を作って重役に聞かせようというところまで行っていた。そして2月半ばになってやっと、マイク・スミスの上司ディック・ロウから手紙が来た。

その手紙——ポップ・ミュージック関連のコレクションの現在の相場から見ればゴッホの小品程度の値がつくかもしれない——は失われてしまったが、エプスタインはその内容を記憶していた。「エプスタイン殿、率直に言って、あなたの若者たちのグループの音楽はわれわれの好みに合いませんでした。われわれは、バンド・ミュージックの流行は終わったと考えています。特にギターを演奏して歌う4人グループでは、ヒットは期待できません。ビートルズはショー・ビジネスの世界では成功しないでしょう」

ブライアン・エプスタイン。リヴァプール郊外にある彼のNEMSレコード店のひとつの外で撮影された写真。

それ以来ずっと、この手紙のせいでディック・ロウとデッカ・レコードは恥ずかしい思いをすることになる。ビジネスにおける史上最悪の決定の例としていつまでも語り継がれただけでなく、その決断の理由からしてまったく間違っていたのだから。ブライアン・エプスタインはデッカから買いとったオーディションの録音テープを持ってビートルズを売りこむために他のレコード会社をまわり、最終的にEMIレコード傘下のパーロフォン・レコードと契約した。後にも先にもビートルズほど多くのレコードを売り、ポップ・ミュージックの世界に彼らほど大きく永続的な影響を与えたグループはない。

運命の1月1日、デッカ・レコードのマイク・スミスはブライアン・プー

ビートルズにとって重大な意味をもつことになる1962年8月16日チェスターでのライブのポスター。この日、ドラマーのピート・ベストがバンドを首になった。キャヴァーン・クラブのDJボブ・ウーラーは、ピートはファンに人気があるから首にするには惜しいと言っていた。

ベスト（座っている人物）はチェスターのライブに出演することになっていたのに止めてしまい、その晩は代役をザ・ビッグ・スリーというバンドのドラマーが務めた。8月18日にはリンゴ・スターが後任のドラマーになった。

ル＆ザ・トレメローズというグループのオーディションも行い、リヴァプールよりロンドンに近いダゲナム出身の彼らのほうがマネジメントをするのに都合がいいという理由で、契約相手に選んでいた。しかしビートルズがEMIと契約し、ギター演奏しながら歌うバンドはヒットしないという予測が外れていたことが明らかになると、その失敗から学んだディック・ロウは、古くさいアメリカのR&Bナンバーをギター演奏しながら歌う5人組バンド――ローリング・ストーンズ――との契約では失敗しなかった。

080

戦争寸前の状況で フルシチョフがケネディに 和解の手紙を書く

［1962年10月26日］

1962年のキューバ・ミサイル危機は、世界を核戦争に巻きこむ寸前だった。広島の記憶もまだ生々しかった当時、東西両陣営のどちらの政治家、国民にとっても、緊張と不安に満ちた13日間だった。3人の当事者間でやりとりされた手紙からは、切羽詰まった状況下で懸命に外交交渉を続ける様子を見てとることができる。

1961年にキューバの反カストロ政権派を後押しするアメリカがキューバのピッグス湾に侵攻して失敗したあとも、キューバのカストロ首相はアメリカのケネディ大統領が再び侵攻をこころみると考えていた。そしてカストロは、1962年7月に行われたソ連のフルシチョフ首相との秘密会談で、アメリカ本土からわずか145キロしか離れていないキューバにアメリカの軍事侵攻を抑止する目的で核ミサイル基地を建設する計画に同意した。

8月になるとキューバでミサイル発射基地の建設工事が始まった。9月には最初の核弾頭が、夜間にこっそり船で運びこまれた。そして10月14日、アメリカの偵察機U2が明白な証拠として、キューバ西部にある中距離ICBM発射基地の写真を撮影した。

10月22日、アメリカはそれ以上の船舶による兵器の搬入を妨げるために海上封鎖を行った。ソ連は公海上の海賊行為だとしてアメリカを批判し、アメリカはキューバからのミサイル攻撃があれば即座に反撃する用意をした。4日間の言葉による説得と拒絶のくり返しを経て、その地域の緊張は最高潮に達した。

DEPARTMENT OF STATE
DIVISION OF LANGUAGE SERVICES

(TRANSLATION)

LS NO. 46118
T-85/T-94
Russian

[Embossed Seal of the USSR]

Dear Mr. President:

I have received your letter of October 25. From your letter I got the feeling that you have some understanding of the situation which has developed and a sense of responsibility. I appreciate this.

By now we have already publicly exchanged our assessments of the events around Cuba and each of us has set forth his explanation and his interpretation of these events. Therefore, I would think that, evidently, continuing to exchange opinions at such a distance, even in the form of secret letters, would probably not add anything to what one side has already said to the other.

I think you will understand me correctly if you are really concerned for the welfare of the world. Everyone needs peace: both capitalists, if they have not lost their reason, and all the more, communists--people who know how to value not only their own lives but, above all else, the life of nations. We communists are against any wars between states at all, and have been defending the cause of peace ever since we came into the world. We have always regarded war as a calamity, not as a game or a means for achieving particular purposes, much less as a goal in itself. Our goals are clear, and the means of achieving them is work. War is our enemy and a calamity for all nations.

This is how we Soviet people, and together with us, other peoples as well, interpret questions of war and peace. I can say this with assurance at least for the peoples of the Socialist countries, as well as for all progressive people who want peace, happiness, and friendship among nations.

His Excellency
John Kennedy,
President of the United States of America

SECRET

DECLASSIFIED
E.O. 11652, Sec. 3(E) and 5(D) or (E)
By NARS, Date 8/22/74

GPO-918904

10月26日付のケネディに宛てたフルシチョフの手紙の最初のページ。

これはふたつの超大国のにらみ合いであり、カストロ首相のキューバは間にはさまって身動きできない状態だった。ソ連からいくつかの証拠とともにアメリカが再び侵攻する可能性があると説得され、カストロは10月26日にフルシチョフに手紙を書き、先制攻撃を主張した。「彼らがキューバ侵攻を行うつもりなら、その危険を永久に排除すべきときです……いかに過酷で恐ろしい解決法であろうと、ほかに方法はないでしょう」とカストロはアメリカに向けて本当に核攻撃をするよう呼びかけた。

フルシチョフがカストロの性急な呼びかけに応じていたら、核戦争は開始されていただろう。しかしありがたいことに、カストロがフルシチョフに手紙を書いたのと同じ日の夜遅く、フルシチョフはケネディに驚くほど個人的な手紙を書いたのだった。それは政治上の駆け引きはわきに置いて、戦争の恐怖について語り、少しでも可能性があるならそれを避けるのが二大国の指導者の義務ではないかと率直に語りかける手紙だった。

「私はふたつの戦争に参加してきた。いったん始まれば、戦争というものは村や町の中を猛進し、あらゆる場所に死と破壊をまき散らすまで終わらないことを知っている」と彼はケネディに語りかけた。どちらもが確実に死に絶えるとわかっていて核戦争を始めるのは、狂人か自殺志願者のすることだ。だから「ふたつの異なる社会＝政治制度をもつ国が平和に共存することを考えよう」と呼びかけ、単純な交換条件――ソ連がミサイル基地を撤去するかわりに、アメリカはキューバ侵攻をしないと約束すること――を提案した。

「親愛なる大統領、私たちとあなたたちは、戦争というものの周囲に巻かれたロープの両端を引っぱりあうことをやめなければなりません。両端を強く引っぱれば引っぱるほど、結び目が固くなってほどけなくなってしまいます……結び目を固くして核戦争を起こし世界を滅ぼすつもりがないのなら、ロープの両端を引く力をゆるめ、美しい結び目を作りましょう。私たちにはそれができると思います」とフルシチョフは手紙を締めくくった。

アメリカ情報部が本物だと判断したその手紙の内容は、読む者に信じたいと思わせるものだった。しかしそれに続く数時間のあいだにも緊張はさらに高まっていったので、ケネディが返信を書いたのは翌日の夜だった。世界は破滅の寸前だった。

081

緊張が和らぐ兆しを見たケネディがフルシチョフの手紙に返信する

［1962年10月27日］

フロリダ海岸からわずか145キロほどの地点のキューバ国内に核ミサイル基地を置いたことは、キューバのカストロ首相にとっては自衛措置だったが、アメリカから見れば軍事的な挑発だった。顧問団はその脅威を除くためのキューバ侵攻を勧めたが、ケネディ大統領は別の道を選んだ。

キューバにソ連の核ミサイル基地が建設されていることが判明して以来、ホワイトハウスでは対処方針についての議論——外交的交渉による解決か、空爆による先制攻撃か、あるいは海上から先制攻撃をしかけるか——が続けられていた。統合参謀本部は海上からキューバに侵攻すればソ連はミサイル基地を放棄してキューバから撤退するだろうと予測して、キューバ侵攻を提言していた。しかしケネディは「彼らがキューバを見捨てて簡単に撤退することはあり得ないだろう。これまでに出された声明から見て、基地を防衛しようとするだろう。われわれが守備隊のソ連兵を大勢殺してミサイルを除去したら、そのままで終わるわけがない。キューバで行動しないとしても、次はベルリンで何か起こすかもしれない」と発言した。そこで侵攻するかわりにキューバ沿岸域の海上封鎖が行われた。

ケネディがアメリカ国民に向けて（当然それは全世界に伝わるわけだが）、キューバからアメリカに何らかの攻撃が行われれば、アメリカはそれをソ連からの攻撃と見なす、という声明を発表したことで緊張はさらに高まった。ソ連のフルシチョフ首相は公海におけるソ連船の航行を完全に妨げる

12

No. 10

LETTER FROM PRESIDENT KENNEDY TO PREMIER
KHRUSHCHEV - OCTOBER 27, 1962

Dear Mr. Chairman:

I have read your letter of October 26th with great care and welcomed the statement of your desire to seek a prompt solution to the problem. The first thing that needs to be done, however, is for work to cease on offensive missile bases in Cuba and for all weapons systems in Cuba capable of offensive use to be rendered inoperable, under effective United Nations arrangements.

Assuming this is done promptly, I have given my representatives in New York instructions that will permit them to work out this week end - in cooperation with the Acting Secretary General and your representative -- an arrangement for a permanent solution to the Cuban problem along the lines' suggested in your letter of October 26th. As I read your letter, the key elements of your propoaals -- which seem generally acceptable as I understand them -- are as follows:

1. You would agree to remove these weapons systems from Cuba under appropriate United Nations observation and supervision; and undertake, with suitable safeguards, to halt the further introduction of such weapons systems into Cuba.

2. We, on our part, would agree -- upon the establishment of adequate arrangements through the United Nations to ensure the carrying out and continuation of these commitments-- (a) to remove promptly the quarantine measures now in effect and (b) to give assurances against an invasion of Cuba and I am confident that other nations of the Western Hemisphere would be prepared to do likewise.

If you will give your representative similar instructions there is no reason why we should not be able to complete these arrangements and announce them to the world within a couple of days. The effect of such a settlement on easing world tensions would enable us to work toward a more general arrangement regarding "other armaments", as proposed in your

フルシチョフの手紙に対するケネディの返信は、行き詰まっていた外交問題に終わりを告げた。

ことは海賊行為だとアメリカを非難し、中国も介入してきて、6億5000万の中国人はキューバ国民を助ける準備ができていると発言した。世界各地に配備されたアメリカのB25爆撃機がソ連攻撃に備えて待機し、500機以上のアメリカの戦闘機がキューバ攻撃のために待機していた。誰も、後もどりしそうになかった。

戦争の愚かさを語ったフルシチョフからの非常に個人的な手紙が届いた翌朝、今度はトルコにあるアメリカのミサイル基地とキューバにあるソ連のミサイル基地に関する、より公式の手紙が届いた。そこには、アメリカがトルコのミサイル基地から撤退すればソ連はキューバから撤退する、ケネディがキューバに侵攻しなければソ連はトルコに侵攻しないという交換条件が記載してあった。

統合参謀本部はその手紙にあったトルコのミサイル基地の問題は無視すると決め、24時間以上のあいだ2通目の手紙の内容をケネディに伝えなかった。そこでケネディは第一の手紙にあった小規模の交換条件を受けいれる内容の返信を書いた。ケネディはまず「あなたの手紙によれば、そちらの主要な提案は……1、あなたはキューバから問題の兵器を取りのぞくことに同意する……2、われわれは……(a)現行の海上封鎖を即刻停止する　(b)キューバに侵攻しないことを保証する……」と確認し「キューバ問題をヨーロッパの、あるいは全世界的な安全保障問題と関連付けて議論を長引かせることは、キューバ危機の緊張をさらに高め、ひいては世界平和に重大な危険をもたらす恐れがある」と付けくわえた。

その返信を受けとったフルシチョフは、すぐに合意を受けいれた。しかし後日になって第二の手紙のトルコに関する項目を知ったケネディは「誰が見てもこれは正当な交換条件だ。この提案を活かすべきだった」と語ったと伝えられている。そしてケネディは顧問団とトルコからの反対を押しきって、トルコに配備していたミサイルを撤去させた。その間にキューバの港湾を封鎖していたアメリカの戦艦はキューバからミサイルが撤去されたことを確認し、11月20日に封鎖を解いた。

これをきっかけに、将来の核危機を回避するためホワイトハウスとクレムリンのあいだにホットライン(直通電話)が設置された。キューバ危機のあと少なくとも数年は穏やかな米ソ関係が続いていた。あと一歩で世界的な動乱につながった事件は、賢明な外交交渉と率直な手紙の交換がいかに大きな成果につながるかを示す好例となったのだ。

082

マーティン・ルーサー・キング・ジュニアがバーミングハム刑務所から手紙を書く

［1963年4月16日］

1963年、マーティン・ルーサー・キング・ジュニアはアラバマ州バーミングハムで差別反対活動をして、刑務所に入れられた。収監中の彼に差し入れられた新聞のコピーに、全員が白人である7人の聖職者が反対活動を批判した記事があった。彼はその場ですぐ、コピーの余白に聖職者たちへの反論を書き始めた。

それは長い手紙だった。新聞の余白がなくなると受刑者仲間がこっそりわたしてくれる紙切れに書き、最終的には彼の弁護士がノートを差し入れる許可を得てそれに書きついだ。「こんなに長くするつもりはなかったのですが」と彼は宛名にした聖職者たちにわびて「もし自分の机の前にゆったり座って書いていたら、もっと短い手紙になったはずですが、刑務所の狭い独房にいる男は、長い手紙を書き、長いあいだ考え、長いあいだ祈る以外にすることがないのです」と書いた。

そして「バーミングハムはおそらくアメリカでいちばん人種差別の激しい所でしょう。黒人に対するひどい暴力行為があったことは広く知られています……ここは国内のどこよりも、黒人住居や教会の爆発事件が未解決に終わった件数が多い所です」と書いた。彼はよそ者だから地元の抗議活動に加わる資格はないという批判に対しては「私がバーミングハムにいるのは、ここで不当な行為が行われているからです……どこであろうと不当なことが起きれば、それはあらゆる場所の正義に対する脅威となり得るのです」と応じた。彼は許可なくデモ行進に参加した罪で刑務所に入れられたのだが、その行動を違法とした法律はバーミングハムにおける組織的な

逮捕されたときにバーミングハム警察署で撮影されたキング牧師の写真。

抗議活動を抑圧するために、抗議活動が予定されていた日の直前に、正当な手順をふまずに急いで制定されたものだった。

7人の聖職者は人種差別反対運動には好意的だったのだが、反対運動は法廷で展開すべきで、街頭での示威行動は控えるべきだとコメントしていた。しかしキングは、彼らは簡単にそう言うが、340年も続いた奴隷制度と人種差別の歴史がアフリカ系アメリカ人に与えてきた焦燥感を、彼らは理解していないと指摘した。また「アフリカ系の人々は最終的には対等な権利を得ることになるはずだから、性急な行動をとらずに待つべきだ」という見解に対しては「正しいことをするのに早すぎるということはない」と応じた。

公開状の中でも特に力をこめて語られていたのは、人種差別のある社会で黒人として生きるとはどういうことかを明白に説明している箇所である。「あなたのお父さんとお母さんが暴徒にリンチされているのを見たら、兄弟姉妹のだれかが白人の気まぐれで溺れさせられたら、憎しみに凝

マーティン・ルーサー・キング・ジュニアから7人の聖職者への公開状

1963年4月16日
聖職者の方々へ

バーミングハム市の刑務所に収監中の私は、私の活動を「思慮に欠け、時期も悪い」と評したあなた方の見解を読みました。自分の行動や考え方に対する批判を受けて、私がわざわざ反論することは滅多にありません。私に届く批判にいちいち答えようとしたら、私の秘書は一日中手紙の処理ばかりすることになり、私自身ももっと建設的な仕事をする時間が無くなってしまうでしょう。しかしあなた方はまったくの善意から真摯に批判されているようにお見受けしたので、できるだけ忍耐強く理性的に批判にお応えしようと思います……

私がバーミングハムにいるのは、ここで不当な行為が行われているからです。紀元前8世紀の預言者たちが故郷の村をあとにして遠くまで「主なる神の御言葉」を伝えるために旅をしたように、使徒パウロが故郷タルススの村を出てイエス・キリストの福音をギリシア＝ローマ世界のすみずみまで伝えたように、私も自分の故郷を出て自由の教えを伝えずにはいられないのです。パウロと同じように、私は助けを求める声があれば、そこへ行かずにはいられないのです。

それに私は、あらゆる市町村や州には相互関係があると考えています。バーミングハムで起きていることをアトランタでのんびり傍観していることは、私にはできません。どこであろうと不当なことが起きれば、それはあらゆる場所の正義に対する脅威となり得るのです。私たちはあらゆることと無縁に生きることはできません。大きな運命共同体の一員なのです。ある出来事の影響を誰かが直接受けているのなら、他のすべての人間は間接的にその影響を受けるのです。「よそ者の扇動者」などという狭い考え方をしていることは許されないのです。アメリカに住む者はだれもが、国のどこにいようが「よそ者」ではあり得ないのです。

あなた方はバーミングハムで起きた抗議活動を嘆きました。しかし失礼を承知で言えば、あなた方の見解は抗議活動を起こさざるを得なかった人々の状況への配慮に欠け……

り固まった白人警官があなたの兄弟の誰かをののしり、蹴りつけ、命を奪いさえしたら……あなたの6歳の娘に、テレビの宣伝で見た遊園地になぜ行けないのかと聞かれたら、そしてその遊園地には黒人は入れないのだと答えて娘の目にあふれ出る涙を見たら……忍耐というコップの水がついにいっぱいになってあふれ出ることになるのです」と。

手紙のかなりの部分は、非暴力による抵抗運動の擁護に充てられ「固い決意のもとに非暴力の法的圧力を行使しなければ市民権について何ひとつ得ることはできませんでした……特権をもつ人々がすすんで特権を手放すことはまずありません」と書かれていた。キングは「旧約聖書にも市民が王の命令に従わなかった例があります。シャドラク、メシャク、アベドネゴの3人はネブカドネザル王の定めた法に従いませんでした。アメリカ合衆国の起源となったボストン茶会事件にしても同じことです。ヒトラーの行為は当時のドイツでは適法でした。悪法に従わなかった人々は間違っていたのでしょうか？」とも論じている。

キングはまた、白人の聖職者たちに対する失望も隠さなかった。「白人の穏健派は正義よりも『秩序』を重視し……私は多くの聖職者が『それは社会の問題だ。キリストの教えはそれとはかかわらない』と言うのを聞いたことがあります。……教会組織は国や世界を守ろうとして、あまりにも現状維持に固執しすぎているのではないでしょうか？」

それは読む者の期待を裏切らない、いかにもマーティン・ルーサー・キング・ジュニアらしい、聖書を引合いにだし、巧みな弁舌を用い、繰りかえしと問いかけをまじえた手紙だった。それを書いた状況が状況だっただけに、切迫感と怒りがページから飛びだしてくるような勢いがあった。この手紙はキングがそれを書かずにはいられなかった日々から数十年たった今も50冊以上の選集に収められ、アメリカの社会と政治について学ぶ学生なら一度は読む基本的な教材になっている。

083

プロフューモの辞任により イギリス政界最大のセックス・スキャンダルが幕を閉じる

［1963年6月4日］

政治家がらみのセックス・スキャンダルはひんぱんにマスコミをにぎわせており、今では必ずしも政治家の失職につながるとは限らない。しかし1960年代にイギリスで明るみに出たスキャンダルは当事者たちに大きな恥辱と不名誉を与え、政治家としてのキャリアを失った人物だけでなく命を失った人物も出た。

ジョン・プロフューモはイギリス政界でもとくに有力な政治家だった。第二次世界大戦中は国会議員であると同時に軍人として北アフリカ戦線やノルマンディー上陸作戦に参加したりしていた。戦後は保守党政治家として頭角をあらわし、1960年にハロルド・マクミラン内閣の陸軍大臣に任命された。

プロフューモの妻は、ディヴィッド・リーン監督の「大いなる遺産」やイーリング・スタジオ製作のブラックコメディー「優しい心と冠 Kind Hearts and Coronets」などに出演した女優、ヴァレリー・ホブソンだった。結婚して映画界を去った彼女の最後の舞台は、ハーバート・ロムと共演したミュージカル「王様と私」である。

ヴァレリーと結婚したプロフューモは、1961年に社交界のパーティーで知り合ったコールガールクリスティーン・キーラーと少しのあいだ不倫関係にあった。しかしそれは数週間続いただけで、すぐにプロフューモのほうから別れている。ところが1962年になって、やはりキーラーと関係をもっていたふたりの男性が銃撃事件に巻きこまれたことをきっかけに、マスコミがキーラーに関する取材を始め、キーラーがプロフューモだけで

[左]陸軍大臣ジョン・プロフューモ。[右]クリスティン・キーラー。

なく駐英ソ連大使館付海軍武官エフゲニー・イワノフ大佐とも関係していたことが明るみに出た。

キーラーは同時期にふたりと付き合っていたわけで、キーラーとプロフューモが出会ったパーティーにはイワノフも同席していた。イギリス陸軍大臣からソ連の駐在武官への機密情報漏洩があったかもしれないという疑惑が政権内部でささやかれたが、当時のマスコミ界は政治家の私生活には踏みこまないという姿勢をとっていたため、大きく報道されることはなかった。しかし彼の政敵である議員が、議員免責特権にかこつけてプロフューモの国家機密漏洩疑惑を追及したことで、キーラーとの関係も広く知られることになった。

当初プロフューモはキーラーとの関係を否定していたが、マスコミのさらなる調査により、高潔な人柄で知られていた彼にしては思慮の足りない情事に走ったことは間違いないことがはっきりした。戦前のまだ結婚していなかったころにも、彼はドイツ人のモデルと付き合い、のちにその女性がドイツ占領下のパリで情報活動をしていたことも判明していた。プロフューモがキーラーと関係したことが確認され、国会で嘘の証言をするという重大な罪を犯したことが明らかになった以上、プロフューモはマクミラン首相に辞任状を書くしかなかった。

9955A

Top Secret and Personal

19th June, 1963.

Rec: 19.6.63.

Dear Arthur,

John Dennis PROFUMO

showed you recently a PF on Gisela Hendrina KLEIN about whom our two offices corresponded before the war, e.g. your L.260(123)B.2b of 5th July, 1938, and our of 21st July, 1938.

2. Although it is not particularly relevant to the current notorious case, Geoffrey thought you might like to have for your files the attached copy of a report from our representative dated 2nd October 1950, which makes mention of an association between Gisela KLEIN and PROFUMO which began ca. 1933 and had apparently not ceased at the time of this report. The report was based on information from four different sources in The non-PROFUMO items were included in our letter dated 5th December, 1951 to C.W. CAIN of your office.

3. On 17th January 1952 our representative wrote to P.C.D. in connection with the application of Mrs. Gisela Hendrina WINEGARD or WEINGARD (nee KLEIN) for a visa to visit the U.K. This letter contains the following paragraphs:

"Mrs. WINEGARD refuses to give any definite reference in the U.K. where she says she has a "great many friends".

"We have good reason to believe that Mr. & Mrs. WINEGARD have recently engaged in blackmailing activities and now think it possible that their intended visit to the U.K. may be connected with this affair."

Yours Ever

Cyril Mackay

for

A. S. Martin, Esq.,
M.I.5.

Top Secret and Personal

11/7/63

「3月22日、議会でのある申し立てに対して私が個人的な抗弁をしたことはご記憶のことでしょう。その中で私は不適切な関係をもったことはないと発言しました。しかし今、深い後悔とともにそれが真実ではなかったこと、あなたと議員の方々を欺いたことを認めざるを得ません」と書いた彼には辞意を表明する以外の選択肢はなく、マクミラン首相はそれをありがたく受けいれた。

プロフューモに対する尋問からは国家機密を漏洩した事実は確認されなかったが、辞任後の彼は自分の愚行を償うために慈善活動をして余生をすごした。妻ヴァレリーは常に夫に寄りそっていた。この世紀のスキャンダルはマクミラン政権を大きく揺るがせ、その年の後半になって首相自身も辞任した。イワノフはモスクワに召還された。キーラーはマスコミに追いかけまわされたあげく、2度の短い結婚生活を経て表舞台から去り、ひとり暮らしの末に2017年に死去した。キーラーのヒモで、彼女をプロフューモとイワノフに紹介したサイモン・ウォードは、裁判にかけられたが判決が出る前に自殺した。

［前ページ］プロフューモの辞任後、イギリス情報部MI5はもっと早い時期のプロフューモとドイツ人モデルとの情事に関するファイルを作っていたことがわかった。

084

チェ・ゲバラは戦いを続けたいとフィデル・カストロに伝える

［1965年4月1日］

マルクス主義者の革命家エルネスト・チェ・ゲバラはアメリカを後ろ盾にしたキューバの独裁者フルヘンシオ・バティスタを追放した戦いでフィデル・カストロの副官を務めた。キューバ革命が成就してカストロのもとを去るにあたり、ゲバラは同志カストロと過ごした日々を振りかえる手紙を書いた。

チェ・ゲバラはキューバ革命の成功を世界中に広めたいと考え、カストロはキューバに腰をすえて理想の国造りをしたいと考えた。結局のところカストロはキューバ生まれのキューバ人であり、ゲバラは南アメリカ大陸のいたる所に資本主義がもたらした貧困と病苦を解消する手段としてマルクス主義に傾倒した、アルゼンチン生まれの革命家だったのだ。

1954年、ゲバラはアメリカのCIAがグアテマラの社会主義政権を転覆させるやり方をつぶさに見た。社会主義政権が、アメリカの私企業ユナイテッド・フルーツ・カンパニーの業務内容（と利益）に制限を加えたからだ。ユナイテッド・フルーツ・カンパニーはグアテマラに勝手にバナナ共和国を作って農園経営をしていた。その年の後半にメキシコシティで出会ったカストロとゲバラは、革命をめざす同志となり、ふたりは協力してアメリカを後ろ盾にするキューバ政権を倒した。首相だったバティスタは1959年1月1日にアメリカへ逃亡した。

ゲバラは、国民に文字の読み書きを学ばせるプロジェクトや、農業政策の策定などを進めて新生キューバに貢献した。軍事面ではピッグス湾に侵攻したアメリカ軍を撃退し、キューバ国内にソ連の核ミサイル基地を建設

チェ・ゲバラからカストロへの別れの手紙

私は今、いろいろなことを思いだしている。マリア・アントニアの家で君に会ったときのこと、君が一緒に行こうと私を誘ったときのこと、革命を準備する段階で経験した危険の数々を。死んだときは誰に伝えてほしいかと尋ねられたこともあった。そのとき私たちは、それが現実になる可能性を実感した。もっとあとにはそれが現実であることが身に沁みてわかった。革命戦争では(それが本物の革命なら)、勝つか死ぬかのどちらかなのだ。

今はその頃ほどの緊張感はない。私たちが前より経験をつんだからだ。しかし同じことはまた起こる。キューバ国内の革命で私が果たすべき義務はもう果たしたと思う。だから私は君とほかの仲間たちと君の国(いまでは私の国でもあるが)の人々に別れを告げることにした。

私は正式にキューバ共産党のポストを辞し、大臣、司令官としての地位を退き、キューバの市民権も返すことにする。私は今、キューバとの法的なつながりは一切なくなった。ひとつだけ残ったつながりは別の性格のもの――与えたり断ち切ったりできないつながりだ。

今までの人生を振りかえり、私は革命の勝利を強固なものにするために私なりに誠実かつ献身的に働いたと自負している。唯一の大きな失敗といえば、マエストラ山脈で君に初めて会ったときからもっと早く君を理解し、革命の指導者としての君の資質を見てとるべきだったということだけだ。

私はすばらしい日々を送った。ミサイル危機のときにも君のかたわらで君の国民とともに輝かしくも悲しい日々をすごした。あの時の君のように立派にふるまえる政治家はめったにいない。君の考え方や、危険を見きわめ評価する能力や、君の行動指針に迷わず従ってきた自分を、私は誇りに思っている。

世界のほかの国々が私の小さな力を必要としている。キューバの指導者としてのあなたにはできないことが、私にはできる。別れの時がきたのだ。

私が喜びと悲しみの入りまじった気持ちを抱えてここを去ることをわかってほしい。私は建設者として抱いていた純粋な希望とこの国を心から大切に思う気持ちをここに残して去っていく。私を息子として温かく迎えてくれたこの国の人々を残して去っていく。それを思うと私の心は痛みを感じる。私はあなたが教えてくれた信念と、この国の人々の革命精神と、何よりも神聖な義務を果たす覚悟とをもって新しい戦場に向かう。それがどこであれ、帝国主義と戦うために……

してキューバ危機を演出した。彼はキューバの社会主義を世界に広める大使の役目を引き受けていたが、その経験とそれ以前に南米大陸をあちこち旅行した経験とが相まって、世界革命の必要を訴えるようになっていった。

1965年、ゲバラは革命を世界に拡大する目的をもってキューバを去り、まずコンゴへ、次いでボリビアへ向かった。旅に出る前、彼はカストロに別れの手紙を書いた。それは彼が死んだら公開されることを見越して書かれた手紙だった。彼は革命の大義のためにいつか自分は死ぬだろうと覚悟していたのだ。手紙にも「死んだときは誰に伝えてほしいかと尋ねられたこともあった。そのとき私たちは、それが現実になる可能性を実感した。もっとあとには、それが現実であることが身に沁みてわかった。革命戦争では、勝つか死ぬかのどちらかなのだ」と書いていた。

キューバを去る理由も書いている。「世界のほかの国々が私の小さな力を必要としている。キューバの指導者としてのあなたにはできないことが、私にはできる。別れの時がきたのだ」と。

ただしそれだけではなく、キューバでの産業改革プログラムが失敗したこと、カストロがソ連型の社会主義をめざしているのに対し、ゲバラ自身は中華人民共和国がかかげる共産主義を理想としていたことも、この旅立ちの理由の一部だったかもしれない。しかし公開を前提に書かれたこの手紙の中では、ゲバラはあくまでもカストロを讃えていた。

「唯一の大きな失敗といえば……もっと早く君を理解し、革命の指導者としての君の資質を見てとるべきだったということだけだ。私はすばらしい日々を送った」と過去を振りかえってから「私はあなたが教えてくれた信念をもって新しい戦場に向かう……どこにいても、私はキューバの革命家としての責任を忘れないだろう」とも書いていた。

この手紙の中でゲバラは政治家および軍人としてのポストを辞任し、キューバの市民権を返上すると伝え、自分がより全世界的な共産主義コミュニティーの一員となることをほのめかしてもいた。コンゴで革命を起こす試みは失敗に終わった。「ここには戦う意志がない」と彼は嘆いていた

ゲバラに捧げられたモニュメント。キューバのサンタクララにあるゲバラの霊廟に設置されており、ゲバラがカストロに書いた別れの手紙の全文が石に刻んである。

――そして1966年、彼はより実現性の高い革命運動を求めてボリビアに入った。そこでは革命が起こせそうに思われたが、その前に彼はCIAの協力を得た政府側に捕えられてしまった。正式な裁判になって注目を集めることを嫌った政府とCIAはゲバラを急いで処刑した。死後の彼は1960年代の反体制運動のシンボルとなり、理想を追い求めたこの革命家の顔がプリントされた多くのTシャツやポスターが作られた。

085

ジェームズ・マッコードはウォーターゲート裁判のあとジョン・シリカ判事に手紙を書く

［1973年3月19日］

ホワイトハウス・プラマーズ（通称「配管工」）はホワイトハウスの警備のために結集されたエキスパート集団だった。その名が示す通り、彼らの任務はペンタゴン・ペーパーズ［ベトナム戦争関連のアメリカの秘密文書］漏洩のような、政権にとって致命的な機密漏洩を防ぐことだ。そのようなグループが何よりも守るべきルールは、オフィスのドアに部署名を記しておかないことである。

配管工メンバーのひとりG・ゴードン・リディとしては、オフィスのドアに「ザ・プラマーズ」の名札をかかげたのは軽いジョークのつもりだった。その札はすぐにはずされたのだが、プラマーズの名前は予想外に広く知られることになる。プラマーズに最初に与えられた極秘任務は、ベトナム戦争に関するアメリカの汚い策略を記したペンタゴン・ペーパーズを新聞社に漏洩したペンタゴンの元メンバー、ダニエル・エルズバーグの信用をおとしめることだった。

1972年、再選をめざす共和党のニクソン大統領の指示で、配管工たちはニクソン大統領再選委員会（CRP）に関与することになる。配管工のひとり、弁護士で元FBIエージェントだったリディはワシントンのウォーターゲート・ビルにある民主党全国委員会のオフィスに盗聴器をしかけることを提案した。盗難事件をよそおってオフィスに侵入し盗聴器をしかける作業は、CRPで秘密保持を担当していたジェームズ・マッコードが指揮する配管工メンバーが行った。

3月28日にその任務を終えた配管工たちは、その後になって盗聴器がう

JAMES W. McCORD, JR.
7 WINDER COURT
ROCKVILLE, MARYLAND 20850

TO: JUDGE SIRICA March 19, 1973

Certain questions have been posed to me from your honor through the probation officer, dealing with details of the case, motivations, intent and mitigating circumstances.

In endeavoring to respond to these questions, I am whipsawed in a variety of legalities. First, I may be called before a Senate Committee investigating this matter. Secondly, I may be involved in a civil suit, and thirdly there may be a new trial at some future date. Fourthly, the probation officer may be called before the Senate Committee to present testimony regarding what may otherwise be a privileged communication between defendant and Judge, as I understand it; if I answered certain questions to the probation officer, it is possible such answers could become a matter of record in the Senate and therefore available for use in the other proceedings just described. My answers would, it would seem to me, to violate my fifth amendment rights, and possibly my 6th amendment right to counsel ~~asxpossiblyxotherxxxtax~~ and possibly other rights.

On the other hand, to fail to answer your questions may appear to be non-cooperation, and I can therefore expect a much more severe sentence.

There are further considerations which are not to be lightly taken. Several members of my family have expressed fear for my life if I disclose knowledge of the facts in this matter, either publicly or to any government representative. Whereas I do not share their concerns to the same degree, nevertheless, I do believe that retaliatory measures will be taken against me, my family, and my friends should I disclose such facts. Such retaliation could destroy careers, income, and reputations of persons who are innocent of any guilt whatever.

Be that as it may, in the interests of justice, and in the interests of restoring faith in the criminal justice system, which faith has been severely damaged in this case, I will state the following to you at this time which I hope may be of help to you in meting out justice in this case:

1. There was political pressure applied to the defendants to plead guilty and remain silent.

2. Perjury occurred during the trial in matters highly material to the very structure, orientation, and impact of the government's case, and to the motivation and intent of the defendants.

3. Others involved in the Watergate operation were not identified during the trial, when they could have been by those testifying.

ウォーターゲート事件の再調査をうながし、最終的には大統領を失脚させたマッコードの手紙。

まく作動していないことに気づいた。そこで6月18日深夜に再び侵入してしかけようとしたのだが、それが最悪の結果を招くことになる。ビルの夜間警備員のひとりが、ドアの自動ロックの鍵穴がテープでふさがれていることに気づいて警察に連絡したのだ。かけつけた警官たちは夜間の路上犯

民主党本部の盗聴に使った盗聴器のひとつを示し、1973年4月22日の上院ウォーターゲート事件調査委員会で証言するジェームズ・マッコード。

罪のパトロール中でヒッピーのような変装をしていたため、配管工グループは自分たちが閉じこめられたことに気づかなかった。警官はマッコードをふくむ5人——ご丁寧にピッキング用の器具、カメラ、高額の現金を所持していた——をまるで漫画に出てくる泥棒のように不法侵入の現行犯で逮捕した。

ホワイトハウスはCIAかキューバ人のしわざではないかととぼけて、知らんぷりをしていた。犯人たちとCRPの関係は知られていたにもかかわらず、ニクソンは圧倒的な差をつけて大統領に再選された。リディと元CIA職員だったハワード・ハントをふくむ5人の侵入犯は1973年1月に裁判にかけられ、ニクソン大統領の2期目の大統領就任式の10日後に有罪判決を受けた。配管工たちは沈黙の掟(おきて)を守り、ニクソンの選挙活動との関係は明るみに出なかった。

しかし1973年3月、有罪判決を受けた配管工のひとりジェームズ・マッコードが彼に有罪判決を下した裁判官ジョン・シリカに手紙を書いた。シリカはマッコードの裁判中に、ウォーターゲート・ビルへの侵入事件には何かもっと複雑な陰謀が隠されているのではないかという疑いをいだいていた。マッコードの手紙の始めの部分で自分の法的立場、生計の手段、生命の保護についての不安を訴え「私と私の家族、友人に対する報復的行為がなされるのは避けられないと思っています」と書いたが、それでも「刑事司法制度への信頼を回復させるために……あなたがこの裁判において正義の裁決を下す力添えができることを願って、私は以下のことを陳述します」と明言した。

マッコードは事実関係を明確にする決意を固めていた。「この裁判の被告には、有罪を認め、余計なことは話さないようにという政治的圧力がかけられていました」と始めた彼は「公判では偽証がありました……ほかの関係者は」とその存在をほのめかし「証言によって特定されることがないようになっていました」と書いてから、この事件に関するホワイトハウスの説明については「ウォーターゲート・ビルの事件はCIAの作戦行為ではありませんでした。キューバ人のかかわりをほのめかしたのも、CIAの作戦行為だと思いこませるための策略でしょう」ときっぱり否定した。

不法侵入事件から9か月たっていたが、マッコードの手紙は、ニクソン政権がもみ消そうとしていたウォーターゲート事件に対する世間の関心を再び呼びおこした。マスコミはあらためて調査を開始し、ワシントンポスト紙のボブ・ウッドワードとカール・バーンスタインが、リチャード(策略家ディッキー)・ニクソンの意を受けたこの事件の黒幕一味をあぶり出した。ニクソンは弾劾を逃れるために1974年8月9日に辞任したが、彼の大統領職をひきついだジェラルド・フォードは1か月後にニクソンの特赦を行った。結局、配管工の仕事というよりは塗装工の仕事が行われた。ホワイトハウスの不祥事をペンキで白く塗りつぶしてごまかそうとしたわけである。

086

ロナルド・ウェインがアップル社の株の10パーセントを800ドルで売却する

［1976年4月12日］

後悔というのは概して無益なものだ。ビデオゲームを開発するアタリ社の社員だったロナルド・ウェインは、金銭に関して1976年に自分がくだした決定を後悔したことはほとんどない。その決定のせいで1億ドルを手にいれるチャンスを逃したとしても。

1976年、ロナルド・ウェインはゲームセンターなどに置くゲーム機を開発するアタリ社で、ゲーム機のソフトウェアなどの文書化を担当していた。同僚にはふたりのスティーブ、つまりスティーブ・ジョブスとスティーブ・ウォズニアックがいた。ウェインは洞察力に優れ、問題解決にも熟達したエンジニアだった。ふたりの同僚は彼よりずっと若く、ウォズニアックはウェインより16歳年下、ジョブスはウェインの約半分の年齢だった。41歳のウェインはそれなりに人生経験を重ねており、ジョブスは若さゆえの果てしない野望を抱いていた。

ウェインはすでに、ある経験によって自分の限界を思い知らされていた。5年前、彼はスロットマシンをゲームセンターに販売するビジネスで起業しようとして、失敗していたのだ。あとになって彼は「私はすぐに、自分はビジネスには向いていない、エンジニアとして働く方がずっと向いているとわかった」と語っていた。その失敗のあと投資してくれた人々に何年もかけて返金したことが、彼のトラウマになっていた。

アタリ社ではウォズニアックとジョブスがコンピューターの未来について議論し、意見が食い違ったときには、年長で経験豊富なウェインに意見を求めていた。ある晩、仕事が終わっていつものように議論していたふた

APPLE COMPUTER COMPANY
PARTNERSHIP AGREEMENT

TO WHOM IT MAY CONCERN: **AMENDMENT**

By virtue of a re-assessment of understandings by and between all parties to the Agreement of April 1, 1976, WOZNIAK, JOBS, and WAYNE, the following modifications and amendments are herewith appended to the said Agreement, and made a part thereof. These modifications and amendments, having been concluded on this 12th day of April, 1976, hereby supercede, and render void, all contrary understandings given in the Agreement of April 1, 1976.

ARTICLE A:
As of the date of this amendment, WAYNE shall hereinafter cease to function in the status of "Partner" to the aforementioned Agreement, and all obligations, responsibilities, agreements, and understandings of the Agreement of April 1, 1976, are herewith terminated. It is specifically understood, and agreed to, by all of the parties to the original agreement, and the amendments hereto appended, WOZNIAK, JOBS, and WAYNE, that that portion of all financial obligations incurred by WAYNE, on the part of the COMPANY, prior to the date of this amendment, is herewith terminated, and that WAYNE's portion of obligations (10%) to the creditors of the COMPANY are herewith assumed, jointly and equally, by the remaining partners to the original agreement, namely, WOZNIAK and JOBS. It is further mutually understood, and agreed, that WAYNE shall incur no obligations or responsibilities in, or for, the COMPANY, nor shall WAYNE be held liable in any litigation, initiated by or instituted against, the COMPANY, with regard to the conduct of the COMPANY's business with any creditor, vendor, customer, or any other party, nor with reference to or arising from any product of the COMPANY, as of the first day of April, 1976.

ARTICLE B:
In consideration of the relinquishment of WAYNE's former percentage of ownership, and for all efforts thusfar conducted in honor of the aforementioned agreement during its term of activity, the remaining parties to the partnership, WOZNIAK, and JOBS, agree to pay and deliver to WAYNE, as their sole obligations under the terms of this amendment, the sum of eight hundred dollars ($800.00).

IN WITNESS WHEREOF: These amendments have been appended to the original Agreement and made a part thereof, and have been executed by each of the parties hereto, on this 12th day of April, 1976.

Stephen G. Wozniak
Mr. Stephen G. Wozniak (WOZNIAK)

steven p. jobs
Mr. Steven P. Jobs (JOBS)

Mr. Ronald G. Wayne (WAYNE)

ロナルド・ウェインは、この同意書にサインしてアップル社から身を引いた。そしてこの書類を売却したことで、またしても大損してしまったのだ。

りがウェインのデスクまで来て、その議論の内容を彼に伝えた。それはふたりのアイディアを実現するために会社を作るという話だった。ふたりには進むべき道は見えていたが、問題はどのようにそれを実現していくかだった。そこでウォズニアックとジョブスは、ふたりのあいだに立ってうまく議論をまとめる役として、新会社の第三の創立者になってくれないかとウェインを誘ったのだ。それは悪くない申し出だと思い、ウェインは承諾した。彼は利益の10パーセントを、ウォズニアックとジョブスが45パーセントずつを取ることで話は決まった。

会社設立に際して、ウェインは十分に彼の役割を果たした。3人の役割分担を詳細に取り決め、新会社が初めて開発したマイクロコンピューター「アップル・ワン」のマニュアルを書いた。アップル社の最初のロゴマーク――リンゴの木の下にニュートンが立っている古い木版画のイメージ――も彼がデザインした。もっとも、この古風なデザインは未来を変えようとしている会社のイメージには合わなかったので、1年もしないうちにレインボーカラーのリンゴのロゴに変えられたのだが。

しかしウェインは、共同経営者としての自分の役割に不安を感じていた。会社に損失が出れば、出資比率にかかわらず3人が同じように責任をとる義務がある。しかし若いウォズニアックとジョブスには資産などというものはない。とすれば、彼は負債を全部引き受けることになる。自分の年齢と、スロットマシンの会社の失敗のせいで金銭的にずいぶん苦労したことを考えると、また同じリスクを負いたくはなかった。

1976年4月12日、アップル・コンピューター社設立から2週間もたたないうちに、ウェインは登記所に手紙を書き、会社の共同経営者であることをやめ、10パーセントの持ち株を時価である800ドルで譲ると通知した。それについて彼はのちに「あれは当時の私がもっていた情報から考えれば最善の決断だった」と語っている。1年後、新しい投資家を得たウォズニアックとジョブスは、以後は会社に対していかなる要求もしないという条件のもとで、ウェインにさらに1500ドルを支払った。つまりウェインは、

10パーセントの持ち株を2300ドルで売ったことになる。インフレを考慮して2018年の金額に換算すれば、1万ドルを少し超えるぐらいだろう。アップル社の2018年の総資産額は1兆ドル以上だ。その10パーセントなら1億ドルになる。

それでもウェインが感じている生涯で唯一の後悔は、アップル社と交わした書類を売却してしまったことだという。彼は2000年にそれを500ドルで売ったのだが、共同経営者ふたりのサインがあるその書類は、2011年のオークションで126万ドルの値が付いたのだ。

087

ビル・ゲイツは彼のソフトウェアを勝手にコピーして使うホビイストたちに公開状を出す

［1976年2月3日］

メディアにおける海賊行為は昔からあった。フィリップス社がカセットテープを発明して以来、多くの人がレコードの音楽をカセットテープに録音してきた。デジタル時代になって違法コピーはますます容易になり、そのせいでビル・ゲイツは大変な被害を受けていた。

初期の家庭用コンピューターはマニアや専門家だけが愛用するマイナーな商品で、一般には普及していなかった。デジタル時代の先端にいるそのような人々はホビイストと呼ばれ、彼らは仲間同士でいろいろなハードウェア、ソフトウェア、プログラミングなどを自分で試した結果を共有していた。

ポピュラー・エレクトロニクス・マガジン誌の1975年1月号で世界初のパーソナル・コンピューターであるアルテア8800の発売を知ったビル・ゲイツとポール・アレンは、彼らにチャンスがめぐってきたと直感した。ふたりはモンティ・ダビドフとともに、その新型コンピューターのためのBASIC（Beginner's All-purpose Symbolic Instruction Code）プログラムを作成した。アルテア8800を制作したMITS（Micro Instrumentation and Telemetry Systems）社はゲイツたちが持ちこんだそのソフトウェアのライセンス契約を結ぶことに同意した。そこでゲイツとアレンは1975年4月に、アルテア用のBASICを開発するマイクロソフト社を設立し、その年いっぱいソフトの改良と新機能の追加に全力を費やした。

MITS社は特別仕様のキャンピングカーでアメリカ中のコンピュー

マイクロソフト社設立当初のビル・ゲイツ(座っている)とポール・アレン。

ター・ホビイストのクラブやコンピューター専門店をまわってアルテア8800とアルテアBASICを宣伝した。一行がカリフォルニア州パロアルトのホームブリュー・コンピューター・クラブを訪ねたとき、誰かがアルテアBASICを書きこんだテープを盗み、コピーを50本作ってクラブの次の会合で配った。その年の末までにアルテア8800は毎月何千台も売れたが、BASICは数百しか売れなかった。海賊行為が横行していたのだ。

その状態にいら立ち、資金不足にも陥ったビル・ゲイツはホビイストに向けた公開状を書いた。それは全国のコンピューター・クラブに送られ、コンピューター関係の雑誌にも掲載された。「自分はBASICを愛用しているという何百人ものユーザーからの反応はすべて好意的だった」とゲイツは語った。しかし彼は、BASICを購入したアルテア・コンピューター・ユーザーは全体の10パーセントもいなかったとして、開発にかかった金額の4万ドルに対し、ホビイストたちへの販売から得たロイヤルティは、時給にして2ドルにもならないと書いていた。

当然ながらゲイツはユーザーの海賊行為に批判的だった。「ホビイストの大半は気づいていると思うが、ほとんどのホビイストはソフトを盗用している。ハードウェアは金を出して買うものだが、ソフトウェアは共有するものだと考えている。ソフトを開発した人間が、その仕事に見あう報酬

An Open Letter to Hobbyists

To me, the most critical thing in the hobby market right now is the lack of good software courses, books and software itself. Without good software and an owner who understands programming, a hobby computer is wasted. Will quality software be written for the hobby market?

Almost a year ago, Paul Allen and myself, expecting the hobby market to expand, hired Monte Davidoff and developed Altair BASIC. Though the initial work took only two months, the three of us have spent most of the last year documenting, improving and adding features to BASIC. Now we have 4K, 8K, EXTENDED, ROM and DISK BASIC. The value of the computer time we have used exceeds $40,000.

The feedback we have gotten from the hundreds of people who say they are using BASIC has all been positive. Two surprising things are apparent, however. 1) Most of these "users" never bought BASIC (less than 10% of all Altair owners have bought BASIC), and 2) The amount of royalties we have received from sales to hobbyists makes the time spent of Altair BASIC worth less than $2 an hour.

Why is this? As the majority of hobbyists must be aware, most of you steal your software. Hardware must be paid for, but software is something to share. Who cares if the people who worked on it get paid?

Is this fair? One thing you don't do by stealing software is get back at MITS for some problem you may have had. MITS doesn't make money selling software. The royalty paid to us, the manual, the tape and the overhead make it a break-even operation. One thing you do do is prevent good software from being written. Who can afford to do professional work for nothing? What hobbyist can put 3-man years into programming, finding all bugs, documenting his product and distribute for free? The fact is, no one besides us has invested a lot of money in hobby software. We have written 6800 BASIC, and are writing 8080 APL and 6800 APL, but there is very little incentive to make this software available to hobbyists. Most directly, the thing you do is theft.

What about the guys who re-sell Altair BASIC, aren't they making money on hobby software? Yes, but those who have been reported to us may lose in the end. They are the ones who give hobbyists a bad name, and should be kicked out of any club meeting they show up at.

I would appreciate letters from any one who wants to pay up, or has a suggestion or comment. Just write me at 1180 Alvarado SE, #114, Albuquerque, New Mexico, 87108. Nothing would please me more than being able to hire ten programmers and deluge the hobby market with good software.

Bill Gates

Bill Gates
General Partner, Micro-Soft

20歳のビル・ゲイツがホビイストに宛てた公開状。彼と顧客との関係に将来性は期待できそうになかった。

を得ているかどうかなんてことはどうでもいいのか?」。彼の発言は初期のパーソナル・コンピューター使用者にとって予想外の痛烈な批判だった。それまでパーソナル・コンピューター用のソフトウェアはほとんど販売されていなかったから、彼らは自分が書いたソフトウェアを仲間うちで共有することが習慣になっていたのだ。

もちろん、ゲイツの主張にも一理あった。「あなたたちがしていることのせいで、すぐれたソフトウェアが書かれる可能性がつぶされている面があるのは間違いない」と彼は書いた。「何の報酬も得られないことにプロフェッショナルな仕事を要求できるだろうか? 3人のプロがプログラムを書き、バグを見つけ、ソフトを文書化したものと同レベルの製品を、無料で配布できるホビイストがどこにいると言うのか?」。マイクロソフト社は新しいソフトウェアを開発中だが「このソフトをホビイストたちに勝手に利用されてはたまらない」と彼は宣言し、「はっきり言えば、あなたたちのしていることは泥棒だ」と書いていた。

ゲイツの手紙は大きな反響を呼んだ。趣味としてのパーソナル・コンピューターの未来を見ているコンピーター専門誌は、おおむね彼に好意的だった。しかし当のホビイストたちは怒っていた。彼らはゲイツが公開状に書いたBASICの値段200ドルと開発時のコンピューター利用にかかった4万ドルという論点に疑問を表明した。マイクロソフト社が大損をしたというなら、それはマイクロソフト社のビジネスモデルの問題だろうと言うのだ。ホームブリュー・コンピューター・クラブの1976年2月号の会報で、会員のひとりマイク・ヘイズは「ところで、将来の顧客になるかもしれない人々すべてを泥棒呼ばわりするのは、マーケティング戦略としてはまずいのではなかろうか」といくぶん皮肉をまじえて書いている。

088

ミハエル・シューマッハが'the'の文字を消して世界チャンピオンになる

［1991年8月22日］

まだ若いミハエル・シューマッハが、突然ベルギー・グランプリに参加するチャンスを与えられたとき、ジョーダン・グランプリ・チームはその結果がよければ彼と長期契約を結びたいと思っていた。契約の同意書を提出する直前、シューマッハは条文を少しだけ書きかえた。

1990年代初頭、メルセデス・スポーツカーチームは世界スポーツプロトタイプカー選手権に出す新型車C11に3人のトップクラスのドライバー、カール・ヴェンドリンガー、ハインツ・ハラルド・フレンツェン、ミハエル・シューマッハを用意していた。評論家たちから最有力と見られていたフレンツェンはカーレースの最高峰であるF1のすぐ下に位置するF3000クラスへの出場も果たしていた。

カーレース界のカリスマ、アイルランド人のエディ・ジョーダンは賢明なチームリーダーだった。彼自身も元はレースドライバーで、F3000で戦ったあと、F1界の最高権力者と呼ばれたバーニー・エクレストンの後ろ盾を得て自分のF1チームを立ちあげていた。しかし1991年シーズンに出場を予定していた彼のふたりのドライバーのうちのひとり、ベルラン・ガショーがロンドンのタクシー運転手と口論の末に催涙ガスを浴びせた罪で刑務所に入れられてしまった。

F1ベルギー・グランプリを間近に控えてジョーダン・チームのドライバーがひとり足りなくなってしまったのだ。メルセデス・チームはいずれF1に参戦し、その時にはシューマッハを走らせるつもりで育成している

JORDAN GRAND PRIX LIMITED
21 SILVERSTONE CIRCUIT
SILVERSTONE
NORTHAMPTONSHIRE
NN12 8TN
ENGLAND

TEL 0327 857153
FAX 0327 858120
TELEX 312341 EDDIE JG

22 August 1991

For the attention of Eddie Jordan

Dear Eddie

I confirm that if you enter me in the 1991 Belgian Grand Prix I will sign driver agreement with you prior to Monza in respect of my services in 1991, 1992, 1993 and subject to Mercedes' first option, 1994. ~~The driver agreement will be substantially in the form of the agreement produced by you with only mutually agreed amendments~~.

I understand that PP Sauber Ltd will pay you £150,000 per race for 1991.

I also understand that you require USS 3.5 million for both 1992 and 1993 and if I or my backers are unable to find this money you will be entitled to retain my services in those years.

Yours sincerely

Michael Schumacher

チームのボスであるエディ・ジョーダンに送った契約書には重要な訂正が書きこまれていた。

ところだったので、ジョーダン・チームが1991年シーズンの残り試合でシューマッハを走らせ、1回走らせるたびにメルセデスが20万ドル支払うことに同意し、1992年と1993年のシーズンにもジョーダンから出場させ、合わせて350万ドル払うことにも同意していた。

ジョーダンは立ち上げたばかりのF1チームにシューマッハを是非とも入れたかった。チーム所属のもうひとりのドライバー、アンドレア・チェザリスは多くのF1チームを渡り歩いてはクラッシュして車を壊してきたが、一定のスポンサーがついていたのでチームに迎えられていた。シューマッハが業界内でささやかれている通りの実力の持ち主なら、チームはいい結果を残し、より多くのスポンサーがつくことになる。持ちこみの資金を得るためにドライバーを採用する必要がなくなる。

ジョーダンはシューマッハにドライバー契約のための書類を送った。

シューマッハは次のように返信した。

> 「私はあなたが1991年シーズンのベルギー・グランプリに私を参戦させるという条件で、モンツァ・レースに先立ち、1991、1992、1993年シーズンについては‘~~the~~ a’ドライバー契約を結ぶことを承認し、1994年に関してはメルセデスとの契約を優先する」

この文書の大切なところは、彼が「the」を消して「a」に書きかえたことだった。

それはベルギー・グランプリの直前で、F1コースの中でもドライバーがオー・ルージュと呼んで恐れる上り坂のコーナーのせいで高度のテクニックを要するベルギーのコースに挑む前に、シューマッハはイギリスのシルバーストーン・サーキットでマシンのシートを体に合わせて軽く走らせておく必要があった。ジョーダンはそのような状況にあるシューマッハに、あえて書類の書きかえを要求しなかった。

ミハエル・シューマッハはジョーダン・チームでF1初戦を戦った後、多くのF1グランプリレースで優勝し、年間チャンピオンを7回(うち5回はフェラーリ・チームで)獲得した。

ベルギー・グランプリでシューマッハは予選を7位通過し、0.7秒遅れのアンドレアは11位通過だった。7位通過はそのシーズンのジョーダン・チームのベスト・ポジションだった。レース本番では、シューマッハはスタートでクラッチを壊してリタイアするという残念な結果に終わったのだが、大いに将来性のある人材として多くのチームが彼との契約を考え始めた。

しかしジョーダンには彼とかわした契約書がある。少なくともジョーダン側はそう考えていた。しかしシューマッハのマネージャーであるウィリー・ウェーバーは、契約書はひとつの(a)契約に関するもので契約全体(the)には同意していないとし、ひとつの契約なら、たとえば1年に2回ジョーダンの所へ行くといったことでも何でもあり得る、と主張した。裁判ではウェーバーの主張が認められ、シューマッハはすぐにベネトン・チームに移籍した。

ジョーダン・チームはその後2年間、マシンのエンジンの不調に苦しんだ。シューマッハがジョーダン・チームに無理やり留められていたら、彼のその後の活躍はなかったかもしれない。ベネトン・チームでは全員がシューマッハの加入を望んでいたわけではなかった。しかし彼は1年後のベルギー・グランプリで優勝し、1994年には年間チャンピオンにかがやいて、その後も計7回年間チャンピオンになっている。だが残念なことに、2014年にスキー中の事故で重傷を負い、以後はレースができなくなってしまった。

エディ・ジョーダンはことの成り行きについてモータースポーツ・ニュースのインタビューに答えて「F1の世界の一大事が契約書の「a」と「the」の違いだけで決まってしまうなんて信じられないことだ。しかしモータースポーツの世界ではそういうこともあるのだ。あれ以来私はどんな書類も注意深く読むことにしている」と淡々と語っていた。

089

ボリス・エリツィンはロシアという国の舵取りは思ったより難しかったと認める

[1999年12月31日]

もともとミハイル・ゴルバチョフの子分的存在だったボリス・エリツィンは、1987年、ソビエト連邦で初めて、国の統治組織である共産党政治局を脱退した人物になった。ソ連の国内秩序が崩壊しつつあった当時にあって、彼はその行為によって反逆者として一躍人気を獲得した。はぐれ者というのは妙に人を引きつけるものなのだ。

共産党の権威が衰え、鉄のカーテンとベルリンの壁が崩れると、ソビエト連邦内におけるモスクワの支配力はロシア共和国周辺に限定されるようになっていた。酔っぱらった状態で公の場所に現れることで知られていた前モスクワ市長エリツィンは、モスクワではとても人気があり、1989年の選挙では92パーセントの得票率でソ連人民代表大会のモスクワ代表になっていた。

その翌年にはロシア共和国大統領に選出されたが、人気がありすぎてソ連の他のリーダーたち(それまでは彼の親分格だったゴルバチョフも含めて)からは目の敵にされていた。1991年8月にゴルバチョフ大統領の反対派がクーデターを起こしたときには、エリツィンが介入してクーデターをくいとめた。エリツィンのもとでロシアはソビエト連邦から離脱し、その年の末にはゴルバチョフが辞任して、ソビエト連邦は分裂した。エリツィンはロシア連邦の大統領となった。

エリツィンは、他のポピュリスト政治家と同じように、現状に反対して権力を握ることは、自分が責任ある立場になって現状を変えることと比べればずっと簡単だったことに気づいた。彼が二度目の辞任を告げる1999

年の最後の日には、彼も「簡単だと思っていたことが恐ろしく難しいことだった」と認めざるを得なかった。

エリツィンが急激にロシア経済の自由化を進めようとした結果、物価は上昇したが、ロシアの製造業が自由世界の企業に太刀打ちできずにつぶれ始め、すぐに不景気になった。国民に富を広めようとした政策は、オリガルヒと呼ばれる少数の新興財閥に富を集中させる結果に終わった。汚職が蔓延し、辞職を発表するころには、エリツィンの支持率は92パーセントから2パーセントにまで下がっていた。

彼は辞任状を書いて1999年の大みそかの夜に国営テレビのカメラの前で読みあげた。「わが友人たちよ、私が新年のあいさつを諸君にするのはこれが最後だ……今年最後の日である今日、私は辞任する」。少し前に行われた国会にあたるロシア国家会議の議員選挙では新しい世代の候補者た

1999年3月、ボリス・エリツィン(右)はウラジーミル・プーチンをロシア連邦の安全保障会議事務局長に任命した。もとKGB職員だったプーチンは、エリツィンが大統領職を辞任したあと大統領代理を務め、2000年5月の大統領選に当選して正式に大統領になった。

ボリス・エリツィンからロシア国民への辞任状

ロシア国民諸君、わが国の歴史上重大な意味をもつことになるだろう今年も、あと残りわずかだ。まもなく2000年になり、新しい千年紀を迎えることになる。

今この時になってこれまでの人生を振りかえれば、子ども時代もそして大人になってからも、2000年になったら自分は何歳だろう、母親は、そして子どもたちは何歳になっているだろうと考えたはずだ。2000年はそれほど遠い先のことで、何か特別な新年になるような気がしていた。そして今、その日が来た。

わが友人たちよ、私が新年のあいさつを諸君にするのはこれが最後だ。それだけでなく、ロシア大統領として諸君に語りかけるのもこれが最後になる。私は決意した。これまで長いあいださんざん考えてきた。そして今年最後の日である今日、私は辞任する。

エリツィンは何としても権力を保持しようとするだろう、誰にも大統領の座をわたさないだろうと言われてきた。それは嘘だ。そんなことはない。私はいつだって憲法から一歩たりとも外れるつもりはなく、ロシア国家会議選挙は憲法の規定通りの期日に行われるべきだと言ってきた。そしてそうなった。

同様に大統領選も予定通り2000年6月に実施したいと考えてきた。それはロシアにとって重要なことだ。われわれは文明国らしく、自発的な権力の委譲を、前任の大統領から選挙で選ばれた後任の大統領への政権移譲をするという大切な前例を作ってきた。

しかし私は、別の決意を固めた。私は身を引くつもりだ。私は予定より早く辞任する。そうすべきだと気づいたのだ。ロシアは新しい政治家、新しい顔ぶれ、新しい知性、活力に満ちた新しい人々とともに新しい世紀に進まなければならないのだ。私たちは長く権力の座にいすぎた。もう去らなければならない。

国家会議の選挙のさいに、人々がどんな期待と信念をこめて新世代の政治家たちに投票したかを見て、私は自分が生涯で成すべき務めを果たしたことがわかった。ロシアが後戻りすることは決してないだろう。ロシアはこれから前だけを向いて進んでいくのだ。

ちの参入が見られ、エリツィンはもう彼の時代は終わったと感じたに違いない。「ロシアは新しい政治家、新しい顔ぶれ、新しい知性、活力に満ちた新しい人々とともに新しい千年紀に進まなければならないのだ」と彼は語った。

エリツィンは体調がすぐれず、1996年には心臓血管のバイパス手術を受けていた。それでも彼は「私は健康上の理由で辞任するわけではなく、いろいろな問題を総合的に考えた結果だ」と主張している。そして、彼も他の人々と同じように「灰色で行き詰った過去の全体主義者社会から、明るく豊かで文明的な未来に一気に飛び移ることができると信じていた……私はあまりにも単純すぎた」とも語っていた。

ロシアの政治の先行きを決める最後の試みとして、エリツィンはまだ比較的無名ながら彼の下で首相を務めていたウラジーミル・プーチンを後継者として指名した。「大統領にふさわしい強い男がいるのに、私があと6か月権力にしがみついている必要はないだろう？　……どうして彼の邪魔をする必要がある？」とエリツィンは言った。いずれにせよ3か月後には大統領選が行われることになっていた。「2000年3月には、みんな彼に投票すると私は信じている」とエリツィンはきっぱり言っていた。

彼は正しかった。プーチンは3月の大統領選で当選し、今もその職にあって、自由経済と、共産主義国の国民にとってはお馴染みの汚職と権威主義とが入り混じった社会の舵をとっている。ボリス・エリツィンは2006年に鬱血性（うつけつせい）心不全で死去した。

090

シェロン・ワトキンスがエンロン社の不正経理を指摘する手紙を送る

［2001年8月］

1930年代のアメリカで天然ガス配給会社として誕生したエンロンは、ケネス・レイがCEOになった1980年代半ばから急激な成長をとげた。レイは着任当初から不正取引により利益を水増しする粉飾決算を行っていた。

1990年、レイは経営破綻したファースト・シティ・バンク・オブ・ヒューストンからジェフ・スキリングを、同じく経営破綻したコンチネンタル・イリノイ・ナショナル・バンク&トラスト・カンパニーからアンドリュー・ファストウをエンロンに迎えた。3人は多国籍に広がる関連会社が描く複雑な迷路を作りあげ、その中に負債と過剰に計上した利益を隠した。ヒューストンの本社内には、経営陣と会計士が手を組んで彼ら3人の不正経理に協力し、違法行為があってもだまって見逃しておくという風潮ができあがっていた。

表向きの派手な多国籍化と驚異的な利益率の背後に隠れていたのは、実体のない子会社に損失を隠す不正な経理処理だった。そうした行為によってエンロンは意図的に株主の期待をあおり、会社に、ひいては経営陣のポケットに入る資金が途絶えないように画策していたのだ。

しかし2001年8月にジェフ・スキリングがエンロンを退職すると、経営企画担当副社長シェロン・ワトキンスは同社の会計処理に関する懸念を表明し始めた。彼女はまず匿名でレイに手紙を送った。彼女はエンロンに迎えられる前は同社の会計監査を担当している会計事務所のひとつアーサー・アンダーセンで働いていたので、会計処理に関する知識があったの

Dear Mr. Lay,

Has Enron become a risky place to work? For those of us who didn't get rich over the last few years, can we afford to stay?

Skilling's abrupt departure will raise suspicions of accounting improprieties and valuation issues. Enron has been very aggressive in its accounting—most notably the Raptor transactions and the Condor vehicle....

We have recognized over $550 million of fair value gains on stocks via our swaps with Raptor, much of that stock has declined significantly.... The value in the swaps won't be there for Raptor, so once again Enron will issue stock to offset these losses. Raptor is an LJM entity. It sure looks to the layman on the street that we are hiding losses in a related company and will compensate that company with Enron stock in the future.

I am incredibly nervous that we will implode in a wave of scandals. My 8 years of Enron work history will be worth nothing on my resume, the business world will consider the past successes as nothing but an elaborate accounting hoax. Skilling is resigning now for "personal reasons" but I think he wasn't having fun, looked down the road and knew this stuff was unfixable and would rather abandon ship now than resign in shame in 2 years.

Is there a way our accounting gurus can unwind these deals now? I have thought and thought about how to do this, but I keep bumping into one big problem—we booked the Condor and Raptor deals in 1999 and 2000, we enjoyed a wonderfully high stock price, many executives sold stock, we then try and reverse or fix the deals in 2001 and it's a bit like robbing the bank in one year and trying to pay it back 2 years later....

I realize that we have had a lot of smart people looking at this and a lot of accountants including AA & Co. have blessed the accounting treatment. None of this will protect Enron if these transactions are ever disclosed in the bright light of day....

The overriding basic principle of accounting is that if you explain the "accounting treatment" to a man on the street, would you influence his investing decisions? Would he sell or buy the stock based on a thorough understanding of the facts?

My concern is that the footnotes don't adequately explain the transactions. If adequately explained, the investor would know that the "Entities" described in our related party footnote are thinly capitalized, the equity holders have no skin in the game, and all the value in the entities comes from the underlying value of the derivatives (unfortunately in this case, a big loss) AND Enron stock and N/P....

The related party footnote tries to explain these transactions. Don't you think that several interested companies, be they stock analysts, journalists, hedge fund managers, etc., are busy trying to discover the reason Skilling left? Don't you think their smartest people are pouring [sic] over that footnote disclosure right now? I can just hear the discussions—"It looks like they booked a $500 million gain from this related party company and I think, from all the undecipherable ½ page on Enron's contingent contributions to this related party entity, I think the related party entity is capitalized with Enron stock.".... "No, no, no, you must have it all wrong, it can't be that, that's just too bad, too fraudulent, surely AA & Co. wouldn't let them get away with that?"

エンロン社のCEOジェフリー・スキリングが2001年8月14日に突然辞職したあと、シェロン・ワトキンスはこの手紙をエンロンの会長ケネス・レイに匿名で送った。

だ。彼女は「エンロンが会計処理に関するスキャンダルで大変な窮地に陥る可能性がきわめて高いと思われます」と警告した。

2002年2月26日、シェロン・ワトキンス(左)、ジェフリー・スキリング(中)、ジェフリー・マクマホンは上院商務・科学・運輸委員会で証言した。

経営は順調だと思われていたのにスキリングが急に退職したことも、思えばなんとなく怪しかった。「彼は仕事に嫌気がさして、この先を見通して今の問題を解決することは困難だとわかってあせったのではないでしょうか。それで2年後に恥辱にまみれて辞任を余儀なくされるより、今のうちに沈みそうな船から逃げたのでしょう」と書いたシェロンは、とくに投資家とエンロンをつなぐ債権の一種、ラプターとコンドルの先行きを危惧していた。それぞれ2002年と2003年に満期を迎えるが、約束した収益をもたらすことはできそうもなかったのだ。「それはある年に銀行からお金を奪い、その2年後に返そうとしているようなものです」と書いた彼女は、さらに「当社には疑惑の目が向けられています。配置転換されて不満を抱いている元社員の中にあやしげな会計処理についてよく知っていて、私たちを困らせる人間がいるかもしれません」と不安をもらしていた。

ケネス・レイに宛てたワトキンスの手紙はエンロン社内とその会計士たちに静かなパニックをもたらした。重役たちは持ち株を売り抜け、監査法人アーサー・アンダーセンは関係書類を破棄して、エンロンの経営状態は文句なく良好だと言いはった。

しかし優良企業の仮面がはがれる時がきた。同年12月2日にエンロンは経営破綻し、アメリカ史上最大の企業倒産事件として語り継がれることになった。当時は世界五大監査法人のひとつだったアーサー・アンダーセンもつぶれてしまった。金融詐欺の刑で24年の禁固刑を受けたジェフ・スキリングは減刑の嘆願が通って12年後の2019年2月に刑務所を出た。証券詐欺、マネー・ロンダリング、謀議の罪で有罪判決を受けたファストウは司法取引に応じて刑期を短縮され、2006年に出所した。10の訴因で有罪判決を受けたケネス・レイは、刑に服する前に心臓発作で急死した。シェロン・ワトキンスは機会があるたびにアメリカの企業文化の危険性について講演している。

091

デイヴィッド・ケリー博士は自分がBBCの批判的な報道の情報源だと認める

［2003年6月30日］

2002年、イギリス政府はイラクが保有する大量破壊兵器の実態に関する調査報告書を公表した。その目的は、イラクの指導者サダム・フセインを倒すためのイラク侵攻にイギリスが参加する大義名分を得ることだった。しかしその大義名分は、あまりにもお粗末なものだった。

「疑惑の調査報告書」として知られることになった書類には、イラクはフセイン大統領が命じれば45分以内に生物化学兵器を使用する能力があるとの記述が含まれていた。生物兵器の専門家デイヴィッド・ケリー博士はその報告書の内容のチェックを依頼されたとき、45分という対応時間をふくむいくつかの記述に疑念を表明した。

イラクに大量破壊兵器を除去させ、テロリストへの協力を止めさせるという口実で開始された英米連合軍によるイラク侵攻は、問題の調査書の提出を受けて2003年3月に開始された。しかしイラクに攻めこんだ英米軍は、大量破壊兵器の存在を確認できなかった。2003年5月にBBC記者アンドリュー・ギリガンのオフレコのインタビューに応じたケリー博士は、調査書への疑念を語った。博士はギリガンに、ブレア首相の主席報道官で好戦的な立場をとっていたアラステア・キャンベルが、イラク侵攻に国民の支持を得るためにイラクの兵力を誇張して報告した可能性があるとの見解を示した。

ギリガン記者は、情報源の博士の名前は伏せて、彼の放送でキャンベルの名をあげて博士の見解を伝えた。イラク侵攻に反対する勢力は、ブレア首相が戦争の大義名分として調査書の内容を捏造した証拠だとしてその放送にとびついた。その戦争によってイギリス人の命が奪われ、戦後の復興計画など皆無のままイラクは混沌の中に放置されたのに、そもそもの大義名分が存在しなかったことになる。BBCに対するニュースの情報源を明かせという圧力は高まる一方だった。ケリー博士は国防省の彼の直属の上司に、ギリガンのインタビューを受けたことを内々に打ちあけた。

自殺する2日前の2003年7月15日に、下院の委員会に向かう元国際連合兵器調査官ディヴィッド・ケリー博士。

彼は調査書の内容について議論したことはないが、生物兵器の専門家としてイラクで兵器の調査をしたことはあると認めた。そして「私は友人からイラクの生物化学兵器に関するギリガンのコメントは私の見解に似ていると言われるまで、自分がギリガンの放送の情報源だったとは考えもしていませんでした」と語り、「ギリガンは私とのインタビューをかなり粉飾している。彼は私よりずっと調査書に深く関わった人物と会ったか、あるいは何人かの人物のコメントをつなぎ合わせた可能性もある」と感じていた。

国防省も博士と同意見で、職員のひとりがギリガンと会ったことがあるという事実だけ発表した。しかしその発表を詳しく吟味すればギリガンと会った職員がケリー博士だと特定することは可能で、博士はすぐにギリガンの情報源だと見なされてしまった。ギリガンの報告の信憑性を落とす目的で、政府が故意に博士の名前を明かしたと考える人も多かった。

博士は政府側、反政府側の両方から強いプレッシャーを受けた。静かな口調で話す温厚な人柄の博士は、7月15、16と2日続きでふたつの議会委員会による聴聞会のきびしい尋問を受けた。答える彼の声は小さく、ほとんど聞きとれないほどだった。この経験は博士を深く傷つけた。7月17日の午後、家を出た彼は近くにあるお気に入りの森へ行って大量の鎮痛剤を飲み、手首を切った。そして翌朝、彼の遺体が発見された。

ケリー博士は政府の職員に暗殺されたのかもしれないとの陰謀説もささやかれた。しかし政府が行った彼の死に関する調査は、ケリー博士の自殺に政府はいっさい責任がないとの結論に終わった。アンドリュー・ギリガン記者は彼の報道の信憑性が疑われたのをきっかけにBBCを辞職した。ブレア首相はさらに1期だけ政権を維持したが、トニー・ブレアとアラステア・キャンベルの名は、国民の支持のないままイギリスを違法な戦争に巻きこんだ調査報告書改ざんの張本人だとの強い疑惑に永久に汚されることになった。

ロンドンの高等法院の外でプラカードをかかげるデモ参加者たち。トニー・ブレア首相が、ケリー博士の死とイギリスをイラク戦争に巻きこんだ疑惑の調査報告書に関する証言をすることになっていた。プラカードにはジェフ・フーン国防長官、ブレア首相、ジャック・ストロー外務大臣の写真が見られる。

092

ボビー・ヘンダーソンがカンザス州にスパゲティ・モンスターの存在を認めるよう求める

［2005年1月］

2005年、カンザス州教育委員会はインテリジェント・デザイン説を学校教育に採りいれようとする議論を始めた。インテリジェント・デザイン説とは、宇宙はあまりにも精妙に造られたシステムなので自然に進化してきたとは考えられない、高度な知性を備えた何かが、例えばキリスト教の神のような存在が、宇宙を創造したのだと主張する説である。しかし誰もがこの説を教育に採りいれることに賛成したわけではない。

天地創造の物語を現実と考える創造論者や保守的な宗教者は進化論に欠陥があるとして、学校教育のカリキュラムには進化論と同じだけの時間をそれに代わるキリスト教的創世論の教育にもあてるべきだと主張している。科学者にしてみればあきれて物も言えないところだ。

そのような主張に「懸念を抱いているひとりの市民」として、物理学を専攻したボビー・ヘンダーソンはカンザス州教育委員会に公開状を送り、その中で「生徒たちがひとつのインテリジェント・デザイン説だけを学ぶ」ことにもっともらしい口調で疑念を表明した。オレゴン州に住む25歳の男性ボビー・ヘンダーソンの公開状によれば、インテリジェント・デザイン説にもたくさんあり「広い世界の中には、宇宙は空飛ぶ

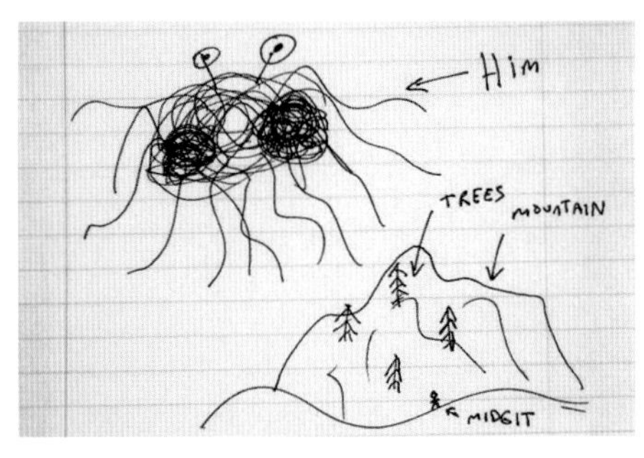

あまり偉大ではない芸術作品。ボビー・ヘンダーソンが描いた空飛ぶスパゲティ・モンスター。

スパゲティ・モンスターによって創造されたと固く信じている人々もいる」ということだった。

まず彼は独自の神学理論を、大まじめを装って展開した。生徒たちにとって「多様な視点があることを知り、その中から自分で選ぶこと」がどれほど重要かを考慮したうえで、インテリジェント・デザイン説には空飛ぶスパゲティ・モンスター教も含まれていることを教えるべきだ、と提言していた。そして続けて、「インテリジェント・デザイン説が宗教ではなく、提唱者が言うように進化論とは別の科学理論にもとづくものだということなら、私たちのスパゲティ・モンスター教もまた別の科学理論にもとづいたものであって宗教ではないのだから、学校教育に採用されるべきだ」と主張したのだ。

Statement regarding Traditional Pastafarian Headgear:

Allow me to confirm that the wearing of a Colander is a tradition in the Pastafarian faith. Not all followers dress so formally, but it is a common practice for us to do so while making official identification documents.

As you know, religion plays a serious part in many people's lives, including the wearing of specific clothing. Believers over the years have sometimes unfortunately experienced resistance, mockery, or even discrimination for simply following the guidelines of their religion.

Thankfully case law has repeatedly affirmed that believers have a constitutionally-protected right to wear such clothing in nearly all public situations including: work, school, while taking identification photos, even in the courtroom — provided that the clothing does cause undo harm. That is to say, that religious clothing is with very few exceptions a protected right.

We, the Church of the Flying Spaghetti Monster, are not a litigious group but of course we, along with the ACLU and others, have an interest in defending the individual rights and liberties guaranteed by the Constitution and the laws of the United States.

Thank you for your cooperation and May You Be Touched by His Noodly Appendage.

Sincerely,

Bobby Henderson, Church of the Flying Spaghetti Monster

空飛ぶスパゲティ・モンスター教会から追加で出された布告。25ドル払えばあなたはパスタファリアンの牧師になれる。

ヘンダーソンは誰もが知る全知全能の神のストーリーを自分がでっちあげた科学的理論にたくみに織りまぜ、インテリジェント・デザイン説の内容を茶化し、それを科学と認めるべきだと主張する根拠を軽妙に否定していた。

創造論者たちはかねてから、統計的に見て些細な例外を指摘することで放射性炭素年代測定法は信頼できないと主張してきた。ヘンダーソンも放射性炭素年代測定法は信頼できないとしたが、データに矛盾する数値が現れるのは、空飛ぶスパゲティ・モンスターが「ヌードルのような触手をもつゆえの誤差だ」と主張した。そしてさらに「進化の過程を強く暗示する科学的証拠と言われるものは、単なる偶然にすぎない」として、彼のように空飛ぶスパゲティ・モンスター教(別名パスタファリニズム)を支持する「パスタファリアン」によれば、パスタファリアンが「ある者」つまり空飛ぶスパゲティ・モンスターによって創り出されたのも偶然なのだ。

創造論者は、ノアの洪水のような自然災害は、神を信じない者に神が下した罰だったと考えている。ヘンダーソンの手紙も同じような似非論理を使って「地球温暖化、地震、ハリケーンなどの自然災害は、1800年代以降海賊の数が減少したことの直接的な影響だ」と書き、ご丁寧にその説を裏づけるナンセンスなグラフまで添えていた。彼はここで相関関係は因果関係ではないことを暗に指摘しているわけで、これは有名な無神論者の進化生物学者リチャード・ドーキンスらの説を端的に示したものだ。

空飛ぶスパゲティ・モンスター教は多くの新聞雑誌の見出しを飾り(本物のパスタファリアンも現れて)、インテリジェント・デザイン説をめぐる議論を盛りあげたが、そうこうするうちにカンザス州教育委員会を構成する共和党派と民主党派の勢力が逆転し、インテリジェント・デザイン説がカリキュラムに採用されることはなくなった。

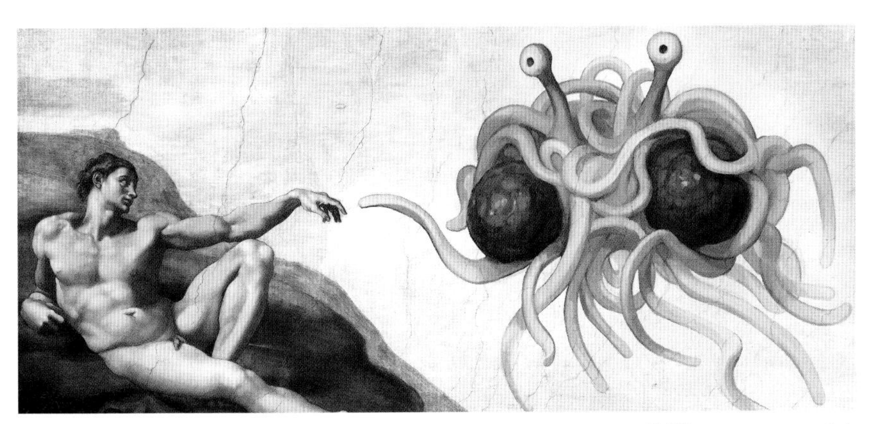

FSM(空飛ぶスパゲティ・モンスター)は、このアルネ・ニコラス・ヤンソン作「彼のヌードルのような触手が触れて Touched by His Noodly Appendage」のような偉大な芸術作品を生みだした。

093

チェルシー・マニングが大量のデータを添えてウィキリークスに手紙を書く

［2010年2月3日］

チェルシー・マニングの物語は——どの点にシンパシーを感じるかによって——国家に対する反逆、軍による失敗、ジェンダー問題のいずれにも解釈できる。ひとつだけ確実なのは、アメリカ陸軍のマッチョな環境が彼女の女性らしさを治療するだろうと期待した人々は間違っていたということだ。

チェルシーは、生まれたときにはブラッドリーと名づけられ、男の子として育てられた。彼女の母親は妊娠中からアルコール中毒で、幼いチェルシーの面倒はほとんど姉のケイシーがみていた。チェルシーが11歳のとき母親は自殺未遂を起こし、彼女が13歳のとき両親は離婚した。

外見は男なのに内面は女性的だった彼女は学校でいじめられた。17歳になるころには自分がゲイであると自覚していたが、心の中は激しくゆれていて、部屋に閉じこもったり、継母にナイフで切りかかったりしたこともあった。2006年、彼女は陸軍に入隊したが過酷な肉体訓練といじめのせいで体をこわしてしまった。そこで情報分析部門に移ると、コンピューターに詳しく、鋭い頭脳をもち、思慮深い彼女にとってそこは最適の職場だった。

そうした能力によって、彼女はあらゆる機密情報に接するようになった。そのころには自分は女性だと意識するようになっていたが、軍は同性愛に関して「聞くな、言うな」の方針を貫いていた。しだいに彼女の中に孤立感と不満が蓄積されていった。周囲は情緒不安定な彼女を心配してカウンセリングを受けさせた。それでも2009年になると、彼女は自分または

チェルシー・マニングがウィキリークスに送った手紙（readme.txtファイルとして）

イラクおよびアフガニスタンにおける戦闘の歴史的意味に関する情報です。この情報はデータが大量なので、多くの送信先に安全に送信または配布し、なおかつ発信元を保護するためには90–180日を要するかもしれません。この情報は21世紀における一方的な戦闘の実態を明らかにする非常に重大なものです。あとはよろしく。

他人に危害を与える可能性があったにもかかわらず、情報分析の技術を買われてバグダッドに派遣された。

性同一性障害に悩み、内心では反対している戦争のために働くことをつらく感じて、インターネットになぐさめを見出していた彼女は、私的な情報を暴露する組織、ウィキリークスに出会った。2010年1月の初め、彼女はイラクとアフガニスタンにおける戦争に関する50万個近いファイルをSDカードにコピーし、休暇でアメリカに帰るときにカードをカメラに入れて持ち出した。

その情報をワシントンポスト紙に提供するつもりだった彼女は、readme.txtファイルの形で送り状を書き「イラクおよびアフガニスタンにおける戦闘の歴史的意味に関する情報です。この情報はデータが大量なので、多くの送信先に安全に送信または配布し、なおかつ発信元を保護するためには90–180日を要するかもしれません」と記した。そして自分の行為に心が高揚した彼女は「この情報は21世紀における一方的な戦闘の実態を明らかにする非常に重大なものです。あとはよろしく」と付けくわえた。

ところがワシントンポスト紙もニューヨークタイムズ紙も送付した情報に関心を示さなかったので、彼女はそれをウィキリークスに送った。そしてその後3か月にわたって、アメリカ軍のヘリコプターが民家や出版社を攻撃する場面など外部にはとても公開できない動画もふくむ多くのデータを追加で送付した。その動画を公開したことで、隠された真実をあばく組

ブラッドリー・エドワード・マニングからチェルシー・エリザベス・マニングになった彼女は、75万件の情報をウィキリークスにもらした罪で2010年から2017年まで刑務所に収監されていた。2019年3月には、ウィキリークスの創設者ジュリアン・アサンジに関する大陪審での証言を拒否して法廷侮辱罪に問われ、ふたたび収監された。彼女は、知っていることはすべて軍法会議で証言したと主張していた。

織というウィキリークスの評判は確固たるものになった。

チェルシー・マニングが逮捕されたがっていた可能性もある。彼女は上司に、ヘリコプターのビデオは彼女が作業していたネットワークで見たと指摘していた。2010年5月、彼女は元ハッカーのジャーナリスト、エイドリアン・ラモとの一連のオンライン・チャットで自分のしたことを告白した。ラモは彼女が自分の命を危険にさらしていると感じ、陸軍の防諜部門に彼女の行為を通報した。チェルシーは5月26日に逮捕され、罪状を申し立てて禁錮35年の刑を宣告された。

2017年1月、任期満了をひかえたオバマ大統領はチェルシーに恩赦を与え、減刑した。しかし後任のトランプ大統領はチェルシーについて「恥知らずの裏切り者だ。ひどい奴だ！」とツイッターにつぶやいた。そして2019年、彼女はウィキリークスの創設者ジュリアン・アサンジの裁判での証言を拒否したことで再び収監された。

094

宇宙飛行士たちはアメリカが宇宙に人や物を運ぶ手段をもたないことを嘆く

［2010年4月14日］

アメリカが飛行士や人工衛星を宇宙に運ぶ手段を失い、宇宙開発競争で一度は圧勝した相手ロシアに頼るはめになったと知って、元宇宙飛行士たちは愕然(がくぜん)とした。

NASAの有人宇宙機によるコンステレーション計画はジョージ・W・ブッシュ大統領の発案で「火星やそれ以遠へ向かう宇宙旅行の中継基地として、月面に有人施設を置く」ことをめざし、2004年に開始された。

国際宇宙ステーションが予定通り完成し、計画通りスペースシャトルが引退したあとのコンステレーション計画は、宇宙旅行に向けた新しい段階の第一歩として、月面着陸を経験した元宇宙飛行士たちからも大いに期待されていた。初めて月面を歩いたニール・アームストロングは前に「私はその計画に大いに期待していた。今世紀の終わりまでに私たちが達成したことよりはるかに大きなことを成しとげているだろうと思っていた」と語っていた。ケネディ大統領が1962年に開始させた月面探査計画は、1972年のアポロ17号で幕を閉じた。アポロ17号の宇宙飛行士ユージン・サーナンは「私がいまだに月面に立った最後の宇宙飛行士と言われるのは残念なことだ」と嘆いていた。

スペースシャトルのあと、NASAはアレスI型ロケットと重量物打ち上げ用のアレスV型ロケットを使って大気圏内および大気圏外に向かう次世代型宇宙船の開発に着手していた。「新しい計画についてはNASA内部だけでなく、全国的に期待が高まっている」とアームストロング、サーナ

アメリカの宇宙飛行士たちからオバマ大統領への公開状

……ロケット本体の設計および製造、およびこの構想を実現するための基礎作業はすでに進行中です。すべての主要部門がすでに詳細な計画にとりかかっています。NASA内部だけでなく全国的に期待が高まっています。

オバマ大統領が先日提出したNASAの予算案を見ると、全体的には若干増額され、研究および技術開発の充実、2020年までの国際宇宙ステーションの運営、詳細は未定ながら新型の重量物打ち上げロケットの長期的な開発、低周回軌道の商業利用の開発などの費用が計上されています。

中には利点が認められる項目もありますが、それと並行してコンステレーション計画とそれに関連するアレスI、アレスVロケットおよびオリオン宇宙船の開発がキャンセルされたことは壊滅的な誤りだと考えます。

自力で宇宙に向かう手段を手に入れるまで、私たちが低周回軌道および国際宇宙ステーションにアクセスするためには、ロシアとの合意により（1席5000万ドルという――しかも近いうちに増額されるかもしれない――金額を支払って）ソユーズ宇宙船の座席を確保するしかありません。大統領が想定している低周回軌道の商業利用も現状では早期実現は難しく、想定より長い時間と多くの費用が必要になるでしょう。

（NASA関係者27名の署名）

Scott Carpenter
Bob Crippen
Jim McDivitt
Bruce McCandless
Neil Armstrong
Michael D. Griffin
Gene Kranz
Frank Borman
James Lovell
Ed Gibson
Joe Kerwin
Paul Weitz
Eugene Cernan
Jim Kennedy
Fred Haise
George Mueller
Chris Kraft
Alan Bean
Gerald Carr
Harrison Schmitt
Jack Lousma
Alfred M. Worden
Jack Garn
Dick Gordon
Vance Brand
Glynn Lunney
Charlie Duke

ン、ジム・ラヴェルは述べていた。しかしオバマ大統領の時代になると、コンステレーション計画は「予算をオーバーし、日程は遅れ、新機軸がみられない」との報告書が2度にわたって出され、見直しを迫られていた。そしてオバマ大統領は2010年の予算案では、国際宇宙ステーションの寿命を延長することは認めたが、コンステレーション計画は完全に中止としていた。

月面探査船の隊長を経験した3人の宇宙飛行士アームストロング（アポロ11号）、ラヴェル（アポロ13号）、サーナン（アポロ17号）は、大統領の決定を嘆く宇宙飛行士たちがアメリカ国民に向けて書いた公開状に名をつらねている。スペースシャトルが引退するというときにアレスが完成していなければ「私たちが低周回軌道および国際宇宙ステーションにアクセスするためには、ロシアとの合意によりソユーズ宇宙船の座席を確保するしかありません……」。

コンステレーション計画に費やされた時間と資金、そして再び始めるとしたらその時にかかるであろう時間と資金を考えると、100億ドルもの損

ユージン・サーナンとハリソン・シュミットが、それまでのアポロ計画より長い距離を進んで月の岩を採取するのに使った月面探査車。彼らの乗ったアポロ17号がアメリカの月面探査の最後になった。

失になると元宇宙飛行士たちは訴えた。1969年に宇宙開発競争に勝利した国の元宇宙飛行士たちは「この先いつまでも低周回軌道まで到達できる宇宙船をもたず、地球周回軌道の外まで有人探査機を飛ばす能力をもてなければ、わが国は宇宙開発における二流国のひとつ、あるいはそれ以下の存在になってしまうでしょう」と予言している。

3人の宇宙飛行士が参加したアポロ計画は、新しいミッションに向かうたびにそれまでの成果の上に新しい経験を積みあげて少しずつ学んでいくという忍耐を要するプロセスだった。公開状に書かれたように、実際に宇宙旅行をすることは何物にも代えがたい貴重な学びの機会なのだ。「実際に宇宙探査を行い、その経験から学ぶことができなければ、アメリカの宇宙開発技術は衰え、先頭集団から遅れることになるでしょう」と彼らは心配している。

もちろん、この先どうなるかはまだわからない。現状ではアメリカの宇宙飛行士が大気圏外に行くにはロシアのソユーズに頼るしかなく、大気圏内宇宙旅行の場合はイーロン・マスクのスペースXなど民間企業の宇宙船も利用している。NASAは現在、深宇宙への探査計画を進行中で、太陽系の他の惑星の探査はもとより、太陽系の外にも目を向けている。一連のアレス・ロケットの開発は中止されたが、オリオン宇宙船の開発は続けており、今後も続くはずだ。一方で中国など他の国も、より遠くへ行くための中継基地を月に設置する計画を熱心に進めている。

095

プッシー・ライオットのメンバーがスラヴォイ・ジジェクと哲学論争をかわす

［2013年1月–7月］

プッシー・ライオットはロシアの女性パンクロック・グループで、ロシアのフェミニズムとLGBTの権利を支援する即興の路上パフォーマンスをすることで知られていた。彼女たちはウラジーミル・プーチン大統領の政策に真っ向から反対を唱えていた。両者がいずれ対決することは目に見えていた。

2012年2月21日、プッシー・ライオットはモスクワの救世主キリスト教会の大聖堂内で、プーチン大統領とロシア正教会の総主教の関係に抗議して突然のパフォーマンス（フラッシュモブ）を行った。パフォーマンスは教会の冒瀆を責めたてる司祭たちの叫び声の中、警備員たちによって力ずくで中止させられた。2週間後メンバーのナジェージダ・トロコンニコワ、エカテリーナ・サムツェヴィッチ、マリア・アリョーヒナの3名が逮捕された。彼女たちは「宗教に対する憎悪にもとづくフーリガン的行為」で訴追され、禁錮二年の刑を宣告された。

彼女たちはロシア国内ではあまり同情されなかったが、ロシア以外の国々では不当に重い刑が科されたと見られ、国際的人権保護団体アムネスティ・インターナショナルは彼女たちを良心の囚人と認定した。彼女たちは別々の刑務所に送られ、看守や他の囚人から乱暴な扱いを受けていた。

2013年1月からフィロソフィ誌がナジェージダ・トロコンニコワとスロヴェニアのリュブリャナ大学の哲学教授スラヴォイ・ジジェクとの文通を手配した。スラヴォイ・ジジェクは幅広い文化に関心をもち「文化論のエルヴィス・プレスリー」というニックネームをつけられている思想家だ。

ナジェージダ・トロコンニコワからスラヴォイ・ジジェクへの手紙

スラヴォイ様

洋服屋で大急ぎで書いた私の前の手紙では、「グローバル資本主義」がヨーロッパやアメリカで果たす機能と、ロシアで果たす機能との区別について十分はっきりとは書いていませんでした。しかし最近ロシアで起こったこと——アレクセイ・ナウァリヌイの裁判、憲法に反して自由を制限するいろいろな法律の可決——に私は激しい怒りを感じています。私はわが国の政治経済の現状について話さずにはいられません。この前私が怒りを感じたのは、2011年にプーチンが3期目の大統領選に出馬すると言ったときでした。私は怒りと決意からプッシー・ライオットを作りました。今度は何が起こるのか。そのうちにわかるでしょう。

ロシアにいる私は、いわゆる先進工業国と貧しい国々の現状に大きな矛盾を感じています。私なんかの目から見ると、いわゆる先進国は、国民を抑圧し彼らの権利を侵害している国々の政府に甘すぎます。中世に定められた法律を国民に課して政府に反対する政治家を投獄しているロシアを、欧米諸国は黙認しています。ひどい人権侵害が——私はそれを考えるだけで、いてもたってもいられなくなるというのに——行われている中国を欧米諸国は黙認しています。いったいどこまで黙認を続けるつもりなのでしょう？　黙認はいずれ協力に、正当化に、そして共謀になるのではありませんか？

もう冷笑を浮かべて「彼らの国のことは彼らに好きにさせておけばいい」と考えているときではないのです。今ではロシアも中国も先進工業国の仲間なのですから。

プーチンが支配するロシアは天然資源への貿易依存率が高いから、ロシアから原油や天然ガスを輸入している国々が信念を示す勇気をもって輸入を止めていたらよかったのに。ヨーロッパの国々がマグニッキー法[人権侵害に加担した人物、組織のアメリカ国内の資産を凍結し、入国を禁止する権限を政府に与えたアメリカの法律]を制定していたらよかったのに。2014年のソチ冬季オリンピックをボイコットしていたら、ロシアへの抗議の姿勢を示すことができたのに。天然資源の輸入を続けていてはロシアの体制を暗黙のうちに——言葉で認めなくても金銭を支払うことで承認したことになります。それはロシアの政治経済の現状と世界経済の中心をなす分業システムに抗議する姿勢に背くことになります。

あなたはマルクスの「巨大化し堕落した社会システムは……生きのびることができない」という言葉を引用しています。でも私はここで、経済活動の大部分を支配している10人の人物がウラジーミル・プーチンの古い友人であるこの国で、刑務所に入れられています。

プーチンは何かスポーツで体をきたえ、KGBで働いていました。ロシアの社会システムは壊れてしまったのでしょうか？　ここは封建主義の国なのでしょうか？

スラヴォイさん、読んでくださってありがとうございます。お返事を待っています。
ナージャ

文通によって歌手のナージャは、ジジェクの言葉を借りれば「思想を語る対等のパートナー」であることが明らかになった。ふたりは資本主義批判をくり広げ、たとえ簡単に解答が得られない問題であっても、声をあげて現状を批判し、抗議することに価値があるのではないかと語り合った。

「正しい解答や絶対的な真実が得られないとしても、私たちは問いかけを続ける役割を担っている」とナジェージダはロシア語でつづり「私たちの使命は問いかけること」だと書く。一方ジジェクは「怒りに満ちた拒絶、純粋な否定を表明するデモンストレーション」には疑問を呈しつつ、プッシー・ライオットについては「彼女たちの派手な行為の根本には確固とした倫理的政治的思考がある」と評価する。言いかえれば、深く考えた末に得た哲学的立場に立脚しているということだ。流動的で不安定な資本主義社会にあって、プッシー・ライオットの社会への挑戦にしっかりした根拠があるというのは皮肉なことではある。

ナジェージダは、ロシアに過去のような自由の制限が広がりつつあることに怒りをあらわにして「この前私が怒りを感じたのは、2011年にプーチンが3期目の大統領選に出馬すると言ったときでした。私は怒りと決意からプッシー・ライオットを作りました」と書く。そしてロシアや中国との貿易を続けることで暗黙のうちにそれらの国の抑圧的な体制を「言葉で認めなくても金銭を支払うことで承認した」としてアメリカとイギリスを強く非難している。ジジェクは「あなたが権威主義的な国に反対し、自由で民主主義的な抗議のひとつの手段としてプッシー・ライオットの活動をしていると認識されて、だれもがあなたを応援しました。あなたがグローバル資本主義に反対していることが明らかになって、プッシー・ライオットに関する報道はずっと穏やかになりました」と面白そうに書いていた。

これは、パンクロックの女性シンガーと大学教授との文通と聞いて想像されるような内容のものではなかった。どちらにとっても明らかに有益な文通だった。収監中のナジェージダ・トロコンニコワにとってはなぐさめになり、ジジェクにとっても思索を深めるいい機会になった。「あなたはスターリンから現代のグローバル資本主義にいたるまでの隠れた継続性を明らかにしました」とジジェクは書いている。

21か月後の2013年12月23日、トロコンニコワとアリョーヒナは釈放された［エカテリーナ・サムツェヴィッチは控訴審で執行猶予になっている］。皮肉な見方をすれば、それは世界が注目する冬季オリンピックがロシアのソチで開かれる1か月と少し前のことだった。彼女たちはオリンピックのボイコットを世界に訴え、多くのロシア人の反感をかい、ファストフードの店で殴られたり、ソチオリンピックの警備を担当していたコサック騎兵に馬のムチで殴られたりしたこともあった。それでも彼女たちは発言を続けている。

2012年の公判の被告席にいるナジェージダ・トロコンニコワとエカテリーナ・サムツェヴィッチとマリア・アリョーヒナ（左から）。サムツェヴィッチは2か月後に執行猶予で釈放された。

096

エドワード・スノーデンは ドイツのマスコミに ショッキングな事実を暴露する

［2013年10月31日］

内部告発者エドワード・スノーデンがアメリカとその同盟国の情報機関の秘密情報を世界中のマスコミにリークしたとき、彼はそれを「政治的意見を表明する行為」と位置づけた。リークされた多くの情報の中でもとりわけ大きな衝撃を与えたのは、アメリカがドイツのアンジェラ・メルケル首相の電話を盗聴していたことだった。

スノーデンは2006年から2013年までのあいだ、アメリカの情報機関――アメリカ中央情報局（CIA）、アメリカ国家安全保障局（NSA）、アメリカ国防情報局（DIA）――の仕事を直接、または関連企業の一員として間接的に行っていた。

彼はその中で、国内および国際法令から見て適法かどうかぎりぎりの秘密活動にも参加していた。2012年、彼はアメリカ政府によるスパイ活動の内容をおさめたデータをSDカードにコピーすることを始めた。しだいにスパイ活動に嫌悪感を持ち始めた彼は、のちに語ったところによれば、国家情報局長官ジェームズ・クラッパーが議会で宣誓した上で嘘の証言をしたのを見て、ぴんと張っていた糸が切れたのだった。

彼は情報機関による違法行為の証拠を見つけ次第コピーし始めて、2013年5月20日に香港に逃げた。そして香港からイギリスのガーディアン紙とアメリカのワシントンポスト紙に何千件もの極秘データを送ったのだ。彼のリークにより、アメリカの情報機関は世界中の何百万人もの一般の携帯電話使用者、オンラインゲーム参加者、グーグルとヤフーの利用者などの、インターネットにつないで行われたありとあらゆる行為を日常的

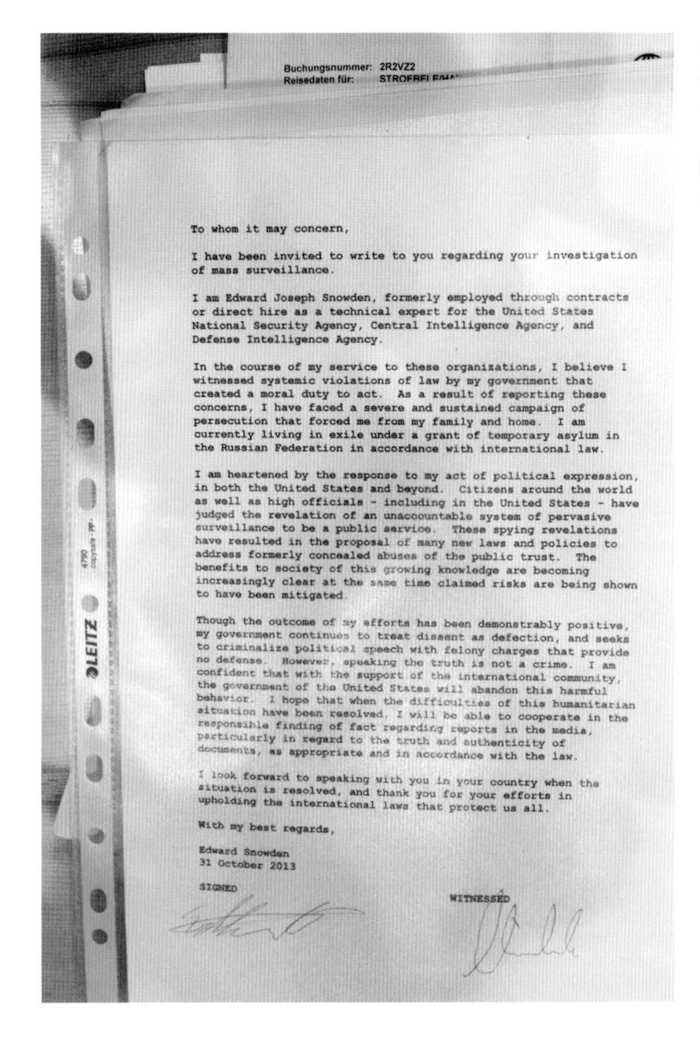

To whom it may concern,

I have been invited to write to you regarding your investigation of mass surveillance.

I am Edward Joseph Snowden, formerly employed through contracts or direct hire as a technical expert for the United States National Security Agency, Central Intelligence Agency, and Defense Intelligence Agency.

In the course of my service to these organizations, I believe I witnessed systemic violations of law by my government that created a moral duty to act. As a result of reporting these concerns, I have faced a severe and sustained campaign of persecution that forced me from my family and home. I am currently living in exile under a grant of temporary asylum in the Russian Federation in accordance with international law.

I am heartened by the response to my act of political expression, in both the United States and beyond. Citizens around the world as well as high officials - including in the United States - have judged the revelation of an unaccountable system of pervasive surveillance to be a public service. These spying revelations have resulted in the proposal of many new laws and policies to address formerly concealed abuses of the public trust. The benefits to society of this growing knowledge are becoming increasingly clear at the same time claimed risks are being shown to have been mitigated.

Though the outcome of my efforts has been demonstrably positive, my government continues to treat dissent as defection, and seeks to criminalize political speech with felony charges that provide no defense. However, speaking the truth is not a crime. I am confident that with the support of the international community, the government of the United States will abandon this harmful behavior. I hope that when the difficulties of this humanitarian situation have been resolved, I will be able to cooperate in the responsible finding of fact regarding reports in the media, particularly in regard to the truth and authenticity of documents, as appropriate and in accordance with the law.

I look forward to speaking with you in your country when the situation is resolved, and thank you for your efforts in upholding the international laws that protect us all.

With my best regards,

Edward Snowden
31 October 2013

SIGNED

WITNESSED

スノーデンが明らかにした監視情報には、アメリカと親密な関係にあるNATO諸国の情報機関も驚いたに違いない。

に収集しているらしいことが明らかになった。2013年にNSAがそれに使ったいわゆる黒い予算は、520億ドルにのぼっていた。

膨大な情報が果てしなく収集されているのだ。スノーデンはさらに、アメリカの情報収集が敵対国だけでなく親しい関係にある同盟国にもおよんでいることを明らかにした。オーストラリア、カナダ、スカンジナビア、ヨーロッパなどの35か国の指導者たちが監視の対象になっていた。ドイツのアンジェラ・メルケル首相の個人的な携帯電話も盗聴されていたことがわかり、彼女は「友人に対してスパイ行為をすることは容認できない」とオバマ大統領に抗議した。

2013年6月、スノーデンのアメリカのパスポートは無効とされ、彼は香港からモスクワに逃げた。ドイツが彼のリークした情報に関する調査を本格的に始めたとき、彼は身の安全が保障されているモスクワを離れて証言することはしなかった。そのかわりにドイツの首相と議会および州検察官に宛てた公開状を書き、その中で自分の行為は「政治的意見を表明する行為」だと主張して正当化した。

彼は公開状で自分が働いたアメリカの情報機関名を列挙し「私はこれらの機関における任務中に政府による組織的な違法行為を目撃し、倫理的義務感から行動を起こした」と書いている。そして彼の行為はさまざまな人々に歓迎され、結果として「これまで隠されてきた国民の信頼を裏切る行為に対処するための法案や政策が数多く提出されている」と指摘していた。

そして「私の行為が好ましい結果をもたらしたのは明らかなのに、私の行為を背信行為だとみなし、政治的発言を重大な犯罪だとして反論の機会を与えていない。しかし真実をのべることは犯罪ではないのだ」と続けた。

スノーデンのリークした情報をきっかけにオバマ大統領はアメリカの情報収集活動の見直しを指示し、その結果、約46の政策が変更され、それまでのような大量の情報収集がテロ防止に有効とは言えないとの結論が出された。スノーデンが暴露した個々の事実は別にしても、私たちはだれもがいかに節操のないのぞきの餌食になりやすいかを思い知らされた。エドワード・スノーデンは今もモスクワのどこかで亡命生活を送っている。

097

内部告発者が将来の内部告発者に訴える

［2013年12月11日］

この人物はデジタル時代以前のエドワード・スノーデンだ。ダニエル・エルズバーグは1971年に、のちに「ペンタゴン・ペーパーズ」として知られるようになる文書をニューヨークタイムズ紙にリークし、ベトナム戦争前後にアメリカ政府が犯した欺瞞的行為を明るみに出した。

「ペンタゴン・ペーパーズ」というのはそもそも、1945年から1967年にかけてアメリカが政治的軍事的にベトナムにどう関与したかを、国防総省の依頼を受けて総括し、作成された長大な報告書だった。エルズバーグはこの報告書を作成したメンバーのひとりだったが、作業の過程でいくつかの新事実に接して衝撃を受けた。報告書によればアメリカはベトナム近隣のカンボジアとラオスに空爆をしかけることで戦争を拡大し、秘密裏に北ベトナムへの空爆も行っていた。

ペンタゴン・ペーパーズの暴露に対するマスメディアの反応は厳しかった。エルズバーグのリークを受けたニューヨークタイムズ紙は、ペンタゴン・ペーパーズによりジョンソン政権が「組織的に国民および議会をあざむいていた」ことが明らかになったと報じた。

スノーデンと同様にエルズバーグも政府による激しい攻撃にさらされた。1973年1月3日、彼は1917年に制定された「スパイ法」違反で告発され、窃盗、陰謀などの罪も含め国家に対する犯罪者として合計115年の禁固刑を宣告された。

しかし彼にとっては幸運なことに、彼を陥れるためにホワイトハウスの

将来の内部告発者への公開状

少なくとも2001年9月の同時多発テロ事件以後、西側諸国の政府および情報機関は彼らの権力が及ぶ範囲を拡大するために、プライバシーの保護や市民の自由、国民による政策のチェック機能などを弱めようと躍起になってきた。現在の状況は、かつては偏執狂の頭の中や、オーウェルが描いたSFの世界や、アルミホイルを頭に巻いて脳を電磁波から守ると称する人々の世界だけに存在すると思われていた事態より、もっと先まで進んでいる。

私たちがこれまで何年も警告し続けてきたことが、なんと何の反省もなくそのまま進められていたのだ。国民すべてを対象とする大規模な監視体制、インターネットの軍事利用、プライバシーの無視、これらがすべて「国家の安全」という題目のもとで行われ続けてきたのである。もはやこの題目は議論を拒む聖なるものとなり、政府には責任がないこと——何もかも知らないところで進んだことなのだから——と見なされてしまっている。秘密裏に法律が制定され、秘密裏に秘密の裁判で秘密の法律が解釈される。議会の監視などまったく機能していないのだ。

勇気と信念をもつ内部告発者たちが出始めてきたのに、ほとんどのメディアはまだこの問題にあまり注目してこなかった。ブッシュ政権が始め、オバマ政権が加速した告発者に対するかつてないほど厳しい迫害は見逃され、記録的に増加した善意の内部告発者たちは、起きている事実を他の市民に知らせたというだけで重罪に問われている。

元CIA職員のジョン・キリアクーがアメリカの秘密刑務所における拷問を内部告発して刑務所に収監され、拷問した職員とそれを許した上司たちが自由の身でいるのが、今のアメリカの皮肉な現実なのだ。

同じようにウィキリークスに情報をもらしたチェルシー・マニングを起訴したさいの罪状には、敵に(大衆は敵なのか！)利益をもたらした罪が含まれていた。そしてマニングには禁錮35年の刑が科せられたのに、2003年にそもそも法的根拠もなく始められ、さんざんな結果に終わったイラク戦争を計画した人間たちは、今も高官の地位にとどまっているのだ。

過去10年に、多くのアメリカ国家安全保障局(NSA)の元職員たちが立ちあがり、局内で行われた大規模な詐欺行為や、とんでもない違法行為や権力の乱用を明らかにしてきた。たとえばトマス・ドレイク、ウィリアム・ビニー、カーク・ウィーブなどの人たちだ。彼らに対する反応は迫害が100パーセントで、NSAからも他の政府機関からも一切説明はなかった。強大な組織で内部告発をするのは決して楽しいことではない。しかし西側のメディアに発表した成果は乏しいものの、内部告発は真実を明らかにし、公正な議論を可能にし、民主主義をささえるために残された最後の手段なのだ。ウィンストン・チャーチルがかつて「最悪の政府の形だが、ほかのどの形よりもましなもの」と言ったと伝えられている、民主主義という壊れやすいものをささえるための……。

秘密工作機関(プラマーズ)が暗躍していたことが発覚した。プラマーズはニクソン政権が民主党の事務所が入っていたウォーターゲート・ビルに盗聴器をしかけようとして失敗した事件で存在が暴露されたが、エルズバーグを陥れる証拠を違法にでっちあげる任務も負っていたのだ。1973年5月11日、政府による不正と違法な証拠収集の事実と、弁護士レナード・ブーディン、ハーヴァード・ロースクール教授チャールズ・ネッソンの弁護により、ウィリアム・マシュー・バーン・ジュニア裁判官はエルズバーグに対するすべての訴えを退けた。2011年、ペンタゴン・ペーパーズは完全に機密解除され、内容が公開された。

エドワード・スノーデンのリーク事件が全世界から注目されたことを受けて、エルズバーグやその他の内部告発者たちは世界中の自由主義的な新聞社に公開状を送ることにした。彼らは内部告発者とは政府にあざむかれている国民のためを思って告発する人物なのだと規定し、エドワード・スノーデンのような人々は政府の責任を問うために力をつくす勇気ある存在なのだと言う。彼らはそうした勇気ある行為が少なくなったり、これから告発を考える人々が面目を守ろうとする政治家たちによって勇気をくじかれたり、邪魔されたりすることがあってはならないと考えているのだ。

ダニエル・エルズバーグ。2004年撮影。

098

手紙は美術品に続く投資ブームの目玉になるだろうか?

［2017年 –］

近年、歴史上の転換点に書かれた手紙のオリジナルが驚くほど高額で売買されるようになってきた。歴史を作った、あるいは歴史を記録した手紙のオリジナルを所有しているという満足感は、金銭には代えがたいもののようだ。それなら、そうした貴重な手紙は投資の対象になり得るのだろうか?

2017年7月のイスラエルのオークションで、タイプで打たれ自筆のサインが入った偉大な科学者アルバート・アインシュタインの何通かの手紙が合計21万ドルで売れた。宛先は同じ科学者仲間のデイヴィッド・ボームなどで、購入者にはイリュージョニストのユリ・ゲラーも含まれていた。オークション会社は当初4万6000ドルほどの落札価格を予想していた。彼らはこの予想以上の価格に満足していたかもしれないが、その少し後に売れたアインシュタインの別の手紙の落札価格とは比べ物にならなかった。

同じ2017年の10月、東京の帝国ホテルのボーイにアインシュタインが書いたメモは、なんと170万ドルという驚くべき高値で売れたのだ。その値段がついたのにはいくつか理由があった。アインシュタインの自筆だったこと、そしてホテルの名前が書かれた便箋に書かれていたこと（帝国ホテルはその後に建て替えられたが、当時の建物は有名な建築家フランク・ロイド・ライトが設計したものだった）。さらにそのメモに書かれた内容が面白いのだ。メモには、ボーイにチップをやりたいが小銭の持ち合わせがない、自分の名声によっていつかこのメモのほうがチップより価値がでるかもしれない、と書かれていた。そうした来歴のおかげで、ボーイの直系の子孫はこのメモを売って大金を手に入れることができたのだ。

Princeton. 3. I. 54.

Lieber Herr Gutkind!

Angefeuert durch wiederholte Anregung Brouwers habe ich in den letzten Tagen viel gelesen in Ihrem Buche, für dessen Sendung ich Ihnen sehr danke. Was mir dabei besonders auffiel war dies. Wir sind einander inbezug auf die faktische Einstellung zum Leben und zur menschlichen Gemeinschaft weitgehend ähnlich: über-persönliches Ideal mit dem Streben nach Befreiung von ich-zentrierten Wünschen, Streben nach Verschönerung und Veredelung des Daseins mit Betonung des rein Menschlichen, wobei das leblose Ding nur als Mittel anzusehen ist, dem keine beherrschende Funktion eingeräumt werden darf. (Diese Einstellung ist es besonders, die uns als ein echt „unamerican attitude" verbindet.)

Trotzdem hätte ich mich ohne Brouwers Ermunterung nie dazu gebracht, mich irgendwie eingehend mit Ihrem Buche zu befassen, weil es in einer für mich unzugänglichen Sprache geschrieben ist. Das Wort Gott ist für mich nichts als Ausdruck und Produkt menschlicher Schwächen, die Bibel eine Sammlung ehrwürdiger aber doch reichlich primitiver Legenden. Keine noch so feinsinnige Auslegung kann (für mich) etwas daran ändern. Diese verfeinerten Auslegungen sind naturgemäss höchst mannigfaltig und haben so gut wie nichts mit dem Urtext zu schaffen. Für mich ist die unverfälschte jüdische Religion wie alle anderen Religionen eine Incarnation des primitiven Aberglaubens. Und das jüdische Volk, zu dem ich gerne gehöre und mit dessen Mentalität ich tief verwachsen bin, hat für mich doch keine andersartige Dignität als alle anderen Völker. Soweit meine Erfahrung reicht, ist es auch um nichts besser als andere menschliche Gruppen, wenn es auch durch Mangel an Macht gegen die schlimmsten Auswüchse gesichert ist. Sonst kann ich nichts „Auserwähltes" an ihm wahrnehmen.

Überhaupt empfinde ich es schmerzlich, dass Sie eine privilegierte Stellung beanspruchen und sie durch zwei Mauern des Stolzes zu verteidigen suchen, eine äussere als Mensch und eine innere als Jude. Als Mensch beanspruchen Sie gewissermassen eine Dispens von der sonst acceptierten Kausalität, als Jude ein Privileg für Monotheismus. Aber eine begrenzte Kausalität ist überhaupt keine Kausalität mehr, wie wohl zuerst unser wunderbarer Spinoza mit aller Schärfe erkannt hat. Und die animistischen

アルバート・アインシュタインが1954年に神と宗教に関する自分の考えを記した手紙。「私に言わせれば、神という言葉は人間の弱さの産物以外の何ものでもなく、聖書は誇るべき伝説の集大成ということもできるが、しょせんは素朴な伝説を集めたものにすぎない。どれほど神秘的な解釈をしてもこの(少なくとも私の)見解は変わらない」と書いてある。2018年、クリスティーズ・ニューヨークに出品されたこの手紙には100–150万ドルの値がつくと予想されていたが、実際には289万2500ドルで落札された。

メモに書かれた内容も並みのものではなかった。アインシュタインはそこに彼の理論――相対性理論ではなく、幸福についての持論――を書いていた。

> 穏やかで慎ましい生活は、休むことなく成功を追い続ける生活より多くの幸福をもたらしてくれる。
> アルバート・アインシュタイン
> 1922年11月、東京にて

これから先、古い手紙が利益を目当てにする投資の対象になるかもしれ

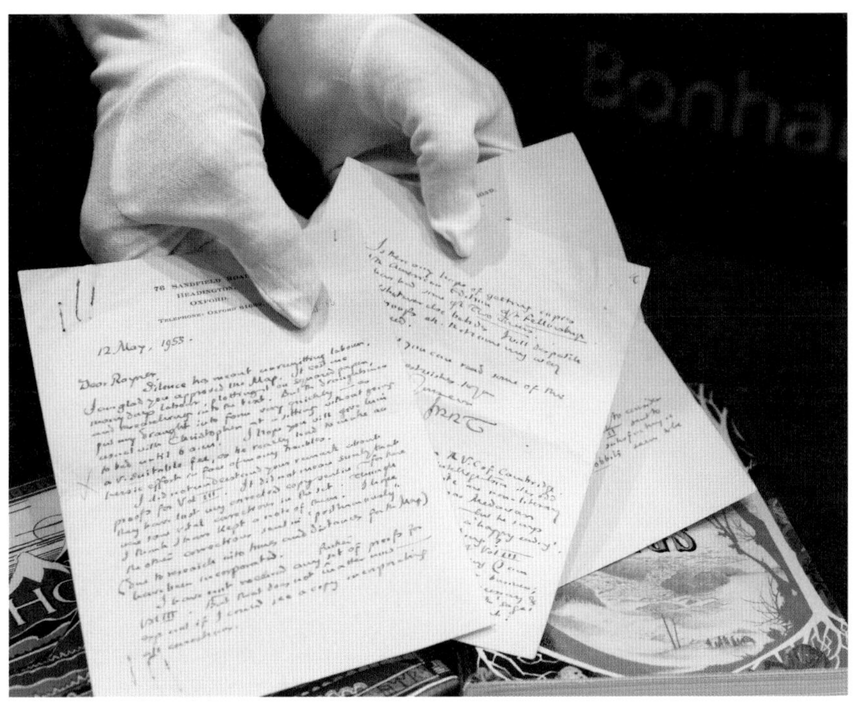

J・R・R・トールキンの未公開の手紙。『指輪物語』3部作の第3部を完成させるのに苦労していると書いてある。2014年にロンドンのボーナムズでオークションにかけられたこの手紙には1万3800ドルの値がついた。

ない。最近は偉大な画家の作品が売りに出されることは少なくなっている。

2019年6月にパリのオークションに出されたゴッホの初期の作品が、有名な画家の作品としてはここ20年で売りだされた唯一のものだった。それに対し、何らかの意味をもつ手紙類の市場は拡大しつつある。

今では歴史的意義のある手書きの文書を専門に扱う業者もあり、大手のオークション会社は定期的に書物、手稿、意義深い手紙などを対象とするオークションを開いている。

2019年6月の1か月間だけを見ても、サザビーズは毛沢東が1948年に書いた手紙を推定30–40万ドルで販売し、クリスティーズはカナダのシンガー・ソングライター、レナード・コーエンが恋人マリアンヌ・イーレンに書いた手紙だけを扱うオークションを開いている。 2019年にはほかにも、ビートルズの解散直前の1969年に書かれた2通の手紙が合わせて55万ドルで売りに出されている。

21世紀の今、歴史的な意義のある手書き文書に入札することはもはや特別なことではなくなっている。2017年のミュージカル「ハミルトン」のヒットにあと押しされたニューヨークのサザビーズはアメリカ合衆国建国の父のひとりアレクサンダー・ハミルトンの書斎机にあった手紙類一式を260万ドルで売りだした。しかしその値段も、史上最高値をつけられた手紙の値段と比べればかすんでしまう。2013年、DNAを発見した研究者グループのひとりフランシス・クリックが息子マイケルに送った手紙は、ニューヨークのクリスティーズで609万8500ドルの値がついたのだ。1953年に書かれたその手紙にはDNA発見を知らせる内容に添えて、DNAのらせん構造を示す手書きの図が書いてあった。

私たちは年々手紙を書かなくなっている。Eメールはうっかりキーボードをたたけば消えてしまうこともある。あらゆる種類の手書き文書はどんどん貴重なものになるだろう。紙に書かれた手紙は私たちを過去につなぐ媒体、過去から聞こえてくる声だ。ひょっとしたら、あなたの先祖たちが残した箱の中に、歴史を伝える貴重な手紙が見つかるかもしれない。

099

エンターテインメント業界で働く女性たちが変化を求める

［2018年1月1日］

2018年の1月1日、ニューヨークタイムズ紙はエンターテインメント業界で働く300人を超える女性たちの署名が入った公開状を掲載した。映画産業では高い地位にある男性たちによるセクシャルハラスメントを告発する女性たちの声が高まっている。公開状は性的虐待とジェンダー差別に終わりを告げる合図だった。

公開状は「暴力的な雇い主の手から逃れたいと願う家政婦から、無理やり体に触れようとする顧客に悩まされている家事労働や介護に派遣された女性まで」身の危険にさらされているすべての女性と連帯すると宣言していた。これは、華やかなハリウッドで働く特権的な女性だから性的被害を訴える声があげられるのだ、という批判を避けるための心配りだった。そこには「生活費をかせぐためにこれぐらいは我慢しろと言わんばかりに恥辱を与えられ、尊厳を傷つけられているすべての職業の女性のため」に告発すると書かれていた。

この公開状に署名した女性たちは「男性だけが支配する職場に入って働き、昇進し、発言に耳を傾けられるために女性が悪戦苦闘する現状は変えるべきだ。女性を閉めだして男性だけが支配する時代は、もう終わりにしよう」と要求していた。公開状は、自分の悪行が明るみに出ることはないと高をくくっていた多くの男たちに、冷水を浴びせるものだった。「タイムズ・アップ（もう終わりにしよう）」という言葉はこの運動のキャッチフレーズになり、運動の目的を達成するために設立されたいくつかの団体の名称にも使われるようになった。

We write on behalf of over 300 women who work in film, television and theater. A little more than two months ago, courageous individuals revealed the dark truth of ongoing sexual harassment and assault by powerful people in the entertainment industry. At one of our most difficult and vulnerable moments, Alianza Nacional de Campesinas (the National Farmworker Women's Alliance) sent us a powerful and compassionate message of solidarity for which we are deeply grateful.

To the members of Alianza and farmworker women across the country, we see you, we thank you, and we acknowledge the heavy weight of our common experience of being preyed upon, harassed, and exploited by those who abuse their power and threaten our physical and economic security. We have similarly suppressed the violence and demeaning harassment for fear that we will be attacked and ruined in the process of speaking out. We share your feelings of anger and shame. We harbor fear that no one will believe us, that we will look weak or that we will be dismissed; and we are terrified that we will be fired or never hired again in retaliation.

JANUARY 1, 2018

Dear Sisters,

We also recognize our privilege and the fact that we have access to enormous platforms to amplify our voices. Both of which have drawn and driven widespread attention to the existence of this problem in our industry that farmworker women and countless individuals employed in other industries have not been afforded.

To every woman employed in agriculture who has had to fend off unwanted sexual advances from her boss, every housekeeper who has tried to escape an assaultive guest, every janitor trapped nightly in a building with a predatory supervisor, every waitress grabbed by a customer and expected to take it with a smile, every garment and factory worker forced to trade sexual acts for more shifts, every domestic worker or home health aide forcibly touched by a client, every immigrant woman silenced by the threat of her undocumented status being reported in retaliation for speaking up and to women in every industry who are subjected to indignities and offensive behavior that they are expected to tolerate in order to make a living: We stand with you. We support you.

Now, unlike ever before, our access to the media and to important decision makers has the potential of leading to real accountability and consequences. We want all survivors of sexual harassment, everywhere, to be heard, to be believed, and to know that accountability is possible.

We also want all victims and survivors to be able to access justice and support for the wrongdoing they have endured. We particularly want to lift up the voices, power, and strength of women working in low-wage industries where the lack of financial stability makes them vulnerable to high rates of gender-based violence and exploitation.

Unfortunately, too many centers of power – from legislatures to boardrooms to executive suites and management to academia – lack gender parity and women do not have equal decision-making authority. This systemic gender-inequality and imbalance of power fosters an environment that is ripe for abuse and harassment against women. Therefore, we call for a significant increase of women in positions of leadership and power across industries. In addition, we seek equal representation, opportunities, benefits and pay for all women workers, not to mention greater representation of women of color, immigrant women, disabled women, and lesbian, bisexual, and transgender women, whose experiences in the workforce are often significantly worse than their white, cisgender, straight peers. The struggle for women to break in, to rise up the ranks and to simply be heard and acknowledged in male-dominated workplaces must end; time's up on this impenetrable monopoly.

We are grateful to the many individuals – survivors and allies – who are speaking out and forcing the conversation about sexual harassment, sexual assault, and gender bias out of the shadows and into the spotlight. We fervently urge the media covering the disclosures by people in Hollywood to spend equal time on the myriad experiences of individuals working in less glamorized and valorized trades.

Harassment too often persists because perpetrators and employers never face any consequences. This is often because survivors, particularly those working in low-wage industries, don't have the resources to fight back. As a first step towards helping women and men across the country seek justice, the signatories of this letter will be seeding a legal fund to help survivors of sexual assault and harassment across all industries challenge those responsible for the harm against them and give voice to their experiences.

We remain committed to holding our own workplaces accountable, pushing for swift and effective change to make the entertainment industry a safe and equitable place for everyone, and telling women's stories through our eyes and voices with the goal of shifting our society's perception and treatment of women.

In Solidarity

ニューヨークタイムズ紙に掲載された画期的な公開状。

この運動は、2017年ハリウッドの大物プロデューサー、ハーヴェイ・ワインスタインから性的暴行を受けたとの訴えが何件もあったために盛り上がったものだった。2018年5月にいくつかの暴行罪でニューヨーク市警察に逮捕されたワインスタインは、100万ドルの保釈金を払い、追跡装置を装着されたうえで保釈されたが、あくまでも無罪を主張している。

裁判の結果がどうなろうと、彼の評判は地に落ち、ワインスタインと言う名前はつねにセクシャルハラスメントと結びつけられることになった。彼の事件をきっかけに、強い権力を持つ男性有名人、男性権力者による性犯罪が告発される傾向が世界的に広まり、その傾向をさす「ワインスタイン効果」という言葉ができたほどだ。

性的暴行の告発がマスコミに大きく取り上げられるようになった一方で、それはもっと大きな問題の一部にすぎない、と公開状は主張する。「構造的に存在するジェンダー間の不平等と権力のアンバランスが、女性に対する性的虐待やハラスメントを許す環境を作りだしているのだ」として「さまざまな業界でリーダーシップをとり、権力ある地位につく女性をふやすこと」そして「同数の代表者、等しい機会、等しい権益、等しい収入をすべての女性労働者に保証すること」を要求している。

変化を起こすには資金も必要だ。公開状はそのための計画も発表している。「あらゆる業界で性的暴行やハラスメントを受けた女性が加害者を訴え、自分の被害を語ることを助けるため」に法定基金を創設したというのだ。その後1年と少しのあいだに基金は2000万ドル以上にふくれあがった。

「タイムズ・アップ運動」だけではない。同じくらい有名になった「#ミー・トゥー(私も)」運動は多くの国で頻発する性的暴行に注目を集めるために使われている。フランスでは同じ役割を果たしている「#バランス・トン・ポルク(ブタ野郎を告発せよ)運動」は相手に対する嫌悪感をよりストレートに表現するネーミングだ。どちらの運動も、世界各地で広まっているジェンダー間の不平等を調整するためのより広範な運動、女性が当然の権利を得るための長く待たれていた次のステップの一部なのだ。

「タイムズ・アップ」運動は少なくともひとつ、成果をあげている。公開状には、女性たちは――ハリウッドの有名なスター女優であっても――かつては「話している途中で邪魔され、力ずくで黙らされていた」と書いてあった。「タイムズ・アップ」運動はその沈黙を過去のものとしたのだ。

100

グレタ・トゥーンベリがインドの首相に宛てた手紙を読みあげる

［2019年］

スウェーデンの恐れを知らない少女グレタ・トゥーンベリは、気候変動対策の実行を政府に訴える活動を始めた。2019年にはインドのナレンドラ・モディ首相に向かってインドの貧弱な環境政策を改善するよう求めた。

グレタ・トゥーンベリはひとりで「気候のための学校ストライキ」を始め、世界から注目された。彼女は温暖化の影響で衰弱したホッキョクグマや海中に流れこんだ大量のプラスチックごみの画像を授業で見て衝撃をうけた。どうして地球の気候と環境を守るための対策がほとんどとられていないのか、彼女には理解できなかった。

2018年8月、スウェーデンの15歳の少女グレタは、環境政策に抗議するため毎週金曜日は学校を休むことにした。そして学校へ行くかわりに、国会議事堂前の階段で政治家たちにビラを配った。ビラには「あなたたち大人が私の未来を台無しにしようとしているから、こうして抗議しています」と書いてあった。スウェーデンのテレビ局が彼女の活動をニュースで報じたことで抗議活動に加わる人が現れ、やがてその動きは国外にも広まった。2018年の末までには、抗議活動は世界中の250以上の市や町で行われるようになっていた。

グレタはストックホルムで金曜日の活動を続けながら、世界各地の抗議活動にも足を運んだ。　2019年4月にはロンドンの環境保護団体「絶滅への反逆」が計画した大規模なデモに参加している。彼女はそこで「私たちが今までにない差しせまった危機に直面しているのに、大人たちはその危機

グレタ・トゥーンベリからインド首相に当てた手紙

モディ様

あなたは気候変動による危機について議論するだけでなく、今すぐ行動するべきです。あなたの国が今のままのやり方でビジネスを続け、それによって得られた小さな経済成長を自慢しているだけでは、いずれ世界が破滅します。そうなれば、あなたは人類に大きな苦難を与えた最悪の人物のひとりとして歴史に名前を残すことになります。あなたもそんなことは望んでいないはずです。

に何の対策もしてきませんでした。世界の指導者たちの行動はまるで子どものようです」と演説した。

国際連合の気候変動に関する会議では、議場を埋めたその子どものような指導者たちに向かって「あなたたちは、現実を現実として語ることができるほどの大人になっていないのです。そればかりか、現実にある大きな問題をそのまま私たち子どもに順送りしようとしています」と語った。

ストックホルムで金曜日の抗議をしているグレタ・トゥーンベリ。

2019年1月にスイスのダボスで開かれた世界経済フォーラムでは、「一般の、企業家の、そしてだれよりも政治家の人々は、途方もない利益をあげ続けるためにどれほど貴重なものを犠牲にしてきたかに気づいています。今日ここにいる皆さんの多くは、そのような方々だと思います」と語った。

グレタは特にインドのナレンドラ・モディ首相をきびしく批判した。彼女は2019年2月15日に受けたテレビのインタビューで、テレビカメラに向かってモディ首相宛ての、手厳しい内容の手紙を読みあげた。「モディさん、あなたは気候変動がもたらす危機について議論するだけでなく、今すぐ行動するべきです」

実際には、モディはぐだぐだ語っているどころか、むしろ気候に悪影響を与える方向に進んでいた。彼は2014年に首相の座につくと、環境・森林・気候変動省の予算を半分に減額し、野生の動植物の保護や汚染の監視に関する権限を弱めている。さらにアメリカの自動車会社GMのインド国内における操業(モディ首相は推進していた)に反対する環境団体「グリーンピース」の銀行口座を凍結した。事業に対する規制は緩和され、汚染が特に激しい地域で新たな企業活動をすることも許可され、汚染発生の報告も

ストックホルムに雪が降っても、グレタは姿を見せていた。活動に共鳴するクラスメートや同世代の仲間たちが加わることも多かった。

義務ではなく任意となっていた。

グレタはテレビカメラの向こう側をきっと見すえ「今のままのやり方でビジネスを続け、それによって得られた小さな経済成長を自慢しているだけでは、いずれ世界が破滅します。そうなれば、あなたは人類に大きな苦難を与えた最悪の人物のひとりとして歴史に名前を残すことになります。あなたもそんなことは望んでいないはずです」とモディ首相に向かって告げた。

2014年にパキスタン出身のマララ・ユスフザイが子どもの学ぶ権利のために声をあげたのと同じように、グレタ・トゥーンベリも彼女たち若者の未来のために環境保護を求めて声をあげたのだ。マララ・ユスフザイは2014年に17歳という史上最年少でノーベル平和賞を受賞した。そのあとに続いて、恐れを知らないグレタ・トゥーンベリは2019年のノーベル平和賞候補にノミネートされた[受賞は逃した]。

補遺

生涯を通して続いた文通

アレクサンダー・グラハム・ベルは、世界でもまれな並外れた女性として知られるヘレン・ケラーの終生の友であり恩人だった。ふたりの交友の始まりはヘレンの教師アン・サリバン(結婚後の姓はメイシー)とベルの文通だったが、やがてヘレンは点字タイプライターを使って自分で手紙を書けるようになった。ここに紹介する2通の手紙は、ヘレンが高齢のスコットランド人グラハム・ベルに、彼女の自伝映画に出演してほしいと懇願したさいに交わされたもので、ふたりの終生におよぶ友情がどれほど深いものだったかを如実に物語っている。

ヘレン・ケラーの手紙

1918年7月5日

ベル先生

先生は前に話してくださった安全に速く進むすばらしい船「サブマリン・チェイサー」[ベルが開発した水中翼船のこと。図版参照]のデッキに腰をおろして、この手紙を読まれているのでしょうか。どうかこの手紙を、海図や設計図や何かと一緒に積んでおかないで、最後まで読んでくださいね！　私はとても大事なこと、ベル先生と私と、そしてサリバン先生のことを書こうとしているのですから。

数週間前にニューヨークでお会いしたとき、私のこれまでの人生が映画化される話をして、先生にも出ていただけないかとおたずねしました。あなたは笑って「撮影のためにカリフォルニアまで行けと言うのかい？」とおっしゃいました。でも、そこまで大変なことではないのです。計画では、映画のメイン部分の撮影をしに西海岸に行く前に、ニューヨークやボストン近辺でいくつかの場面を撮影することになっています。この映画のねらいは私の成長、受けた教育、希望、夢、友情について忠実に描くことです。そのため私の人生において重要な役割を果たした有名な方々には、可能な限り映画に出ていただきたいのです。できれば先生には、オペラ歌手のカルーソーさんとサリバン先生と私と一緒にオープニングのシーンに出ていただきたいということです。

ほんの少しの撮影のために何千キロもの旅をしてきてくださいとお願いするのは、本当に心苦しいことです。あなたがこれまで私に大きな愛情と寛容を与えてきてくださっていなければ、こんなお願いをすることなんて思いつかなかったでしょう。ニューヨークやボストンまで来ていただくことがどんなに大変かよくわかっています。夏に旅行するのがどれほど不快なことかも知っています。それでもこの映画が多くの人々に何かを訴えることができるなら、苦労に見合う価値と重要性があることをご理解いただければと思います。先生はこれまでもずっと、ご自分のことより他者への奉仕を優先してこられました。この映画が私たちの期待通りのものになれば、これからの教育に何らかの貢献ができるに違いありません。

もし先生が来られない場合、先生の同意があれば誰かが先生の「代役を務める」ことになるでしょう。でも私の大切な先生ではないその人、代役にすぎない人に私はどう接したらいいのかわかりません。

ベル先生、私が映画という旅に初めて挑戦するとき、先生がそばにいてくださったらどんなに心強いことでしょう。実際に旅をしたとき、私は先生のおかげで時間がとても早く、楽しく過ぎたように感じました。人生という旅でも、私の手に雄弁に言葉を伝える先生の手があったおかげで、私の人生は輝かしく興味深いものになり、不幸の中に希望と勇気の淡い光がさしました。その希望と勇気は私と私のまわりの人々を一生支え続けてくれ

[左]大学の卒業式でガウンを身につけたヘレン・ケラー。[右]アレクサンダー・グラハム・ベル。

ヘレン・ケラーが手紙で「サブマリン・チェイサー」と書いていたのはアレクサンダー・グラハム・ベルが試作した水中翼船のことだった。ベルはケイシー・ボールドウィンと共に11年間試作と実験を続け、1919年にカナダ、ノヴァスコシア州のブラドール湖で、実証機HD4により時速113キロという当時の最高速度を達成した。

るでしょう。ギボン[18世紀イギリスの歴史家]は『ローマ帝国衰亡史』の最後のページの最後の1行を書き終えたあと、家を出てアカシアの並木道を何度も行ったり来たりしながらローザンヌの町と山々の風景を眺めたと自叙伝に書いています。銀色の満月が湖面に姿を映し、すべてが静寂に包まれていたとも。私は今回の映画を私にとってのアカシアの遊歩道のように考えています。言うなれば、私の人生という物語の最後を飾るものだと思っているのです。そこには達成感と希望のメッセージがなければなりません。それは勇気と信頼と献身がもつ力を強調するものでなければなりません。先生にもおわかりでしょう、アカシアの並木道を実際に私と共に歩いてきた人々でなければ、メッセージの力と真実らしさが多少なりとも失われてしまうのです。私に温かい愛と献身を与えてくれた人々の何人かはすでに亡くなりました。フィリップス・ブルックス、オリバー・ウェンデル・ホームズ、エドワード・エヴァレット・ヘイル、ヘンリー・ロジャーズ、サミュエル・クレメンズをはじめ、もしご存命ならこの映画に出ていただきたかった方々がたくさんいます。私の子ども時代に暖かい夜明けをもたらし、一緒にアカシアの並木道を歩いてくださった方は、今ではほとんどベル先生とウィリアム・ソーご夫妻だけなのです。

サリバン先生が私の所へ来る前でさえ、あなたは暗闇の中にいる私に手をさしのべてくださいました。サリバン先生が私の所に来られたのもベル先生の推薦があったからでした。ああ、いろいろなことが鮮やかに思い出されます。暗闇の中にいた子どもの所へ、その子を解放するために神が若い女性をつかわしてくださった日のことが、今もありありとよみがえってきます。特別な訓練も受けず、孤独で、ほとんど目が見えない彼女が、私のところへとんで来てくれました。彼女が力強く、それでいて優しく震える手で私に触れたときの感覚、顔にキスしてくれたときの唇の感触を、私は今もはっきり覚えています。あの至福の瞬間に私は生まれたのだ、と感じることがあります。彼女は残酷な運命を未然に防ぎ、打ち負かしてくれました。目覚めた喜びのなんと大きかったこと！　希望が見えてきて、何でも知りたくて、手を伸ばして触れることに夢中になった日々のなんと楽しかったこと！　初めて言葉というものの神秘が明かされた時の感触は、今もこの指に残っています。すべてのものが意味をもち、生きていると知った時の感動といったら！　暗闇と沈黙しかなかった世界から突然私に向かってたくさんの驚きが押しよせてきたあの頃を、私は一生忘れないでしょう。あなたはその驚きと喜びの一部でした。サリバン先生が私の精神と生活と心を過酷な状況から少しずつ開放してきた努力を、あなたがずっと見守っていてくださったことを私は忘れてはいません。先生は最初から若いサリバン先生がどれほど大変な仕事を引き受けたかを理解しておられました。すぐに、彼女の能力と衰えることのないエネルギーと熱意と独創性を見てとりました。あなたがいつもサリバン先生のすることを支持し、やさしく励ましてくださったこと、私は心から感謝しています。盲目のハンディーが精神力で克服できることが信じられず、わたしたちの挑戦に眉をひそめる人々に出会ったときも、先生は必ず私たちを勇気づけてくださいました。私が話す練習をしようと決心したとき、先生は私たち以上の信念をもって励ましてくださいました。大学に入って懸命に努力しているときも、私はいつも先生が身近にいて私を気にかけ、何事もやりとげられると信じてくださっていると感じていました。先生は何度も何度も「ヘレン、できないと思ってためらわないで。君ができると思うことなら、君はなんでもできる。そして君の勇気は、大勢の人を勇敢にするんだよ」と言われました。私が何かに成功すれば父親のように喜び、うまく行かないことがあれば父親のようにやさしくなぐさめてくださいました。これまでずっと変わらず、先生は私たちふたりをいつも、大きな心で包んでくださっていました。

そんな先生への私たちの気持ちは、どれだけ言葉を使っても言い表すことはできません。私たちの幸運を、誇りを、喜びを、先生が与えてくださったすべてを、表現できる言葉はとても見つかりません。だからこそ私たちは、ぜひ先生に今回の映画に出ていただきたいのです。あなたの名前自体が、崇高な思考と願望そのものなのです。あなたの名前は、私たちの心の中で深く優しい音色をかなで、どこまでも寛容で他者のために力を尽くすひとつの美しい人生そのもののようなチャイムを鳴らすのです。プラクシテレス［古代ギリシアの彫刻家］が石に生気を吹きこんだように、あなたは動かない唇に息吹を与え、話すことを教えました。聞こえなかった耳の砂漠に言葉という甘美な水を注ぎました。そしてあなたは、合図ひとつで陸も海も越えて音を伝える大きな翼に載せて、考えていることを遠くまで伝える力を人間に与えました。あなたの名前を知っていてあなたに心を寄せている何千人もの人々に、ちょっと顔を見せて、喜ばせてあげてくださいませんか？

サリバン先生と私からの愛をこめて

ヘレン・ケラー

追伸　映画会社はあなたのシーンを今月の中頃に撮影したいと言っています。

25 SEMINOLE AVENUE
FOREST HILLS
L. I., N.Y.

July 5, 1918.

Dear Dr. Bell:

Will you sit down on the edge of one of those wonderful submarine-chasers you told me about--if such a swift thing can be sat on with perfect safety--and read this letter? Mind, you are to read it through, and you are not to get what you read mixed up with charts and things! What I am going to write about is most important, it is about you and me--and my teacher.

When we saw you in New York several weeks ago, we told you that the story of my life was to be dramatized for a motion picture, and we asked you if you would be willing to appear in it. You laughed and said, "Do you expect me to go to California to have my picture taken?" Well, it is not as bad as that--not quite. The present plan is to have several pictures made here and in Boston and vicinity before we start West where the main part of the picture will be made. The idea of the picture is to represent my development, education, ambitions, aspirations and friendships faithfully. The intention is, as far as possible, to show distinguished people who have been important in my life. The producers are very desirous to have you appear with Caruso and my teacher and me in the opening scene of the drama.

I feel the greatest hesitation in asking you to come a

2

thousand leagues for a "snap-shot". If I had not had so many proofs of your love and forbearance, I should not dare even to consider making the request. I realize the effort it will cost to make the journey to New York or Boston. I know how uncomfortable it is to travel in summer. But I hope you may agree with me that the enterprise may have sufficient value and importance for humanity to be worth the sacrifice. For a lifetime you have had steadily before you the vision of service to others. If the picture should fulfil our expectations, it will be a permanent contribution to education.

I believe it has been suggested that if you cannot come, some one might be "made up" to represent you, provided you would consent to such a substitute. But that would be only an imitation of you, not your dear self, and I should not know how to behave towards a mere substitute of you.

Dear Dr. Bell, it would be such a happiness to have you beside me in my picture-travels! As in real journeys you have often made the hours short and free from ennui, so in the drama of my life, your eloquent hand in mine, you make the way bright and full of interest, give to misfortune an undertone of hope and courage that will assist many others beside myself to the very end. You know that Gibbon has told us how, when he wrote the last lines of the last page of "The Decline and Fall," he

25 SEMINOLE AVENUE
FOREST HILLS
L.I., N.Y.

3

went out into the garden and paced up and down in his acacia walk overlooking Lausanne and the mountains. He says the silver orb of the moon was reflected from the waters, and all nature was silent. I conceive of the picture-drama as my walk under the acacias. I mean, in a sense it will be the finish of the story of my life. It should carry a message of hope and fulfilment. It should emphasize the significance of courage, faith and devotion. You can readily see, if the people taking part in the drama are not the real people who have walked with me under the acacias, this message will lose something of its force and genuineness. A number of the friends whose love and devotion have enriched my life are gone. Phillips Brooks, Oliver Wendell Holmes, Edward Everett Hale, Henry Rogers, Samuel Clemens and many others would have a place in the picture if they were living. You and Mrs. William Thaw are almost the only ones left who entered the acacia walk with me where it begins in the sweet dawn of childhood.

Even before my teacher came, you held out a warm hand to me in the dark. Indeed, it was through you that she came to me. How vividly it all comes back! How plainly I see the vanquished little child, and the young girl God sent to liberate her! Untrained, alone, almost blind, she journeyed swiftly to me. I

4

still feel her strong, tender, quivering touch, her kisses upon my face. Sometimes I feel that in that supreme moment she thought me into being. Certainly she forestalled and defeated a cruel fate. O the waking rapture! O the shining joy of feet approaching light, of eager, inquisitive hands grasping knowledge! My fingers still glow with the "feel" of the first word that opened its golden heart to me. How everything seemed to think, to live! Shall I, in all the years of eternity, forget the torrent of wonders that rushed upon me out of the darkness and silence? And you are part of that wonder, that joy! I have not forgotten how you followed step by step my teacher's efforts to free my mind, my life, my heart from the tyranny of circumstance. From the first you understood the stupendous task of the young teacher. You were quick to recognize her ability, her tireless energy, enthusiasm and originality. I love you for the generous way in which you have always upheld her work. When others who had little faith in the power of spirit to conquer blindness doubted and faltered, it was you who heartened us for the struggle. When I made up my mind to learn to speak, you cheered us on with a faith that outran our own. How closely I felt your sympathy and forward-looking faith in me when I fought my way through college! Again and again you said to me, "Helen, let no sense of limitations hold you back. You can do anything you think you can. Remember that

25 SEMINOLE AVENUE
FOREST HILLS
L.I., N.Y.

5

many will be brave in your courage." You have always shown a father's joy in my successes and a father's tenderness when things have not gone right. After all these years you still take us both up in your great heart.

How can I ever express what all this means to us? Words are not eloquent enough to declare all the good fortune, the pride, the joy, the inspiration we feel in your friendship. That is why we want so very much to have you appear in our picture. Your name alone is a rich harvest from which come high thoughts and desires. It is as a deep, sweet chime ringing in our hearts and telling us of a life beautiful in its boundless generosity, in its consecration to the service of humanity. As Praxiteles animated stone, so you have quickened dumb lips with living speech. You have poured the sweet waters of language into the deserts where the ear hears not, and you have given might to man's thought, so that on audacious wings of sound it pours over land and sea at his bidding. Will you not let the thousands who know your name and have given you their hearts look upon your face and be glad?

With dear love from us both, I am,

Affectionately your friend,

Helen Keller

P.S. They would like to make the picture of you about the middle of this month.

グラハム・ベルの返信

1918年7月16日

愛するヘレンへ

私はどうしても映画に出る気にはなれなくて、フランシス・トレヴェリアン・ミラー氏にきっぱりお断りする手紙を書いたところだった。ところがそこへ君の7月5日付の手紙が届いたのだよ。それは石のような心をもつ人間でも感動せずにはいられない手紙で、私の心にも強く響いた。君の手紙を読んでいるうちに、ずっと昔ワシントンで会った小さな女の子の姿がよみがえってきた。私にとって君は、今もあの小さな女の子だ。君が望むことなら、君のために何でもしてあげると言うしかない。だが君がカリフォルニアに旅立つ前に私がアメリカへ行くのは無理だから、君がニューヨークにもどるのを待つしかない。

私が君と初めて出会ったとき、私は71歳の白髪の老人ではなかったし、君はまだ7歳の少女だった。だから伝記映画なら、その頃の私たちは別の人間が演じるしかないよね。君の少女時代のアレクサンダー・グラハム・ベルは誰か別の人が演じて、もっと後の場面で私たち本人が出てくれば、おもしろい対比になることだろう。君がカリフォルニアからもどってきたら、私たちの日程を調整すれば必ず会えると思う。

君と君の先生に心からの愛をささげる

友人の　アレクサンダー・グラハム・ベル

COPY

Helen Keller, Drawer 25

Beinn Bhreagh
Near Baddeck
Nova Scotia

1918 July 18

My dear Helen:

I have the greatest aversion to appearing in a moving-picture, and I had just written to Dr. Francis Trevelyan Miller declining positively, when your letter of July 5 arrived. It is a letter which would move a heart of stone and it has touched me deeply. It brings back recollections of the little girl I met in Washington so long ago, and you are still that little girl to me. I can only say that anything you want me to do I will do for your sake, but I can't go down to the States before you go to California, and we will have to wait till you come back.

You must remember that when I met you first I wasn't seventy-one years old and didn't have white hair, and you were only a little girl of seven, so it is obvious that any historical picture will have to be made with substitutes for both of us. You will have to find someone with dark hair to impersonate the Alexander Graham Bell of your childhood, and then perhaps your appearance with me in a later scene when we both are as we are now may be interesting by contrast. I have no doubt that when you return from California we can arrange a meeting to suit both of us.

With much love to you and Teacher,

Your loving friend,

(signed) Alexander Graham Bell

Miss Helen Keller
25 Seminole Avenue,
Forest Hills, Long Island, N.Y.

謝辞

本書に写真や手紙、資料の提供、掲載を許可してくださった以下の方々に感謝いたします。

African Studies Center (University of Pennsylvania), Alamy, Archives National (France), Art-vanGogh.com, Associated Press, Atlantic Monthly, AtomicArchive.com, Beatrix Potter Gallery, Beinecke Rare Book and Manuscript Library, BlackPast.org, Bletchley Park, Bonhams, British Library, British Online Archives, Cambridge University Library, Christie's London, Daily Mail, Digital National Security Archives, Dwight D. Eisenhower Library and Museum, Eddie Jordan Racing, English Heritage, Franklin D. Roosevelt Presidential Library and Museum, Founders Archives.org, FriendsOfDarwin.com, General Register Office, Getty Images, The Guardian, The Independent, International Institute of Social History, JewishVirtual Library, John F. Kennedy Presidential Library and Museum, The Karl Marx House, Karpels Manuscript Library, Lambeth Palace Archives, Library of Congress, Mary Evans Picture Library, Massachusetts Historical Society, Metropolitan Museum of Art (New York), Motorsport News, National Air and Space Museum (Smithsonian), National Archives (Kew), National Gallery (London), National Maritime Museum (Greenwich), National Museum of Capodimonte, Nelson Mandela Centre of Memory, Newport Historical Society, New York Times, Ohio State University, Oxford Institute, Parliamentary Archives (London), Pavilion Image Library, Perkins School for the Blind, Portal de Archivos Españoles, Presidential Library (Moscow), The Postal Museum (London), Sackett Family Association, Simon Wiesenthal Center, Sotheby's, Thomas Fisher Rare Book Archive, Times Up, University of Michigan Library, University of Nebraska-Lincoln, Venganza.org

索引

う

え

お

か

き

く

せ

そ

た

ち

つ

て

と

な

に

ね

ま

み

む

め

も

や

ゆ

よ

ら

り

る

れ

ろ

わ

［著者］
コリン・ソルター
Colin Salter
歴史作家。マンチェスターメトロポリタン大学（イギリス）とクイーン・マーガレット大学（スコットランド・エディンバラ）で学位を取得。邦訳書に、『歴史を変えた100冊の本』（エクスナレッジ）、『世界を変えた100のポスター 上・下』、『世界を変えた100のスピーチ 上・下』、『世界で読み継がれる子どもの本100』（以上、原書房）などがある。

［訳者］
伊藤はるみ
Harumi Ito
1953年名古屋市生まれ。愛知県立大学外国語学部フランス学科卒業。翻訳家。主な訳書にマテ『身体が「ノー」と言うとき』（日本教文社）、ウィルキンソン『古代エジプト・シンボル事典』、ドハティ『図説アーサー王と円卓の騎士』、ウェストウェル『大英図書館豪華写本で見るヨーロッパ中世の神話伝説の世界』（以上、原書房）などがある。

世界を変えた100の手紙 下
ライト兄弟からタイタニック号の乗客、スノーデンまで

2023年1月31日　初版第1刷発行

著者――――コリン・ソルター
訳者――――伊藤はるみ
発行者――――成瀬雅人
発行所――――株式会社原書房
〒160–0022
東京都新宿区新宿1–25–13
電話・代表 03(3354)0685
http://www.harashobo.co.jp
振替・00150–6–151594
ブックデザイン――――小沼宏之[Gibbon]
印刷――――シナノ印刷株式会社
製本――――東京美術紙工協業組合

ISBN978-4-562-07252-1
Printed in Japan